CYFRES Y CEWRI

1. DAFYDD IWAN
2. *AROGLAU GWAIR*, W. H. ROBERTS
3. ALUN WILLIAMS
4. *BYWYD CYMRO*, GWYNFOR EVANS
5. WIL SAM
6. *NEB*, R. S. THOMAS
7. *AR DRAWS AC AR HYD*, JOHN GWILYM JONES
8. *OS HOFFECH WYBOD*, DIC JONES
9. *CAE MARGED*, LYN EBENEZER
10. *O DDIFRI*, DAFYDD WIGLEY (Cyfrol 1)
    DAL ATI, DAFYDD WIGLEY (Cyfrol 2)
    Y MAEN I'R WAL, DAFYDD WIGLEY (Cyfrol 3)
11. *O GROTH Y DDAEAR*, GERAINT BOWEN
12. *ODDEUTU'R TÂN*, O. M. ROBERTS
13. *ANTURIAF YMLAEN*, R. GWYNN DAVIES
14. *GLAW AR ROSYN AWST*, ALAN LLWYD
15. *DIC TŶ CAPEL*, RICHARD JONES
16. *HOGYN O SLING*, JOHN OGWEN
17. *FI DAI SY' 'MA*, DAI JONES
18. *BAGLU 'MLAEN*, PAUL FLYNN
19. *JONSI*, EIFION JONES
20. *C'MON REFF*, GWYN PIERCE OWEN
21. *COFIO'N ÔL*, GRUFFUDD PARRY
22. *Y STORI TU ÔL I'R GÂN*, ARWEL JONES
23. *CNONYN AFLONYDD*, ANGHARAD TOMOS
24. *DWI'N DEUD DIM, DEUD YDW I...*
    STEWART WHYTE McEWAN JONES
25. *MEICAL DDRWG O DWLL Y MWG*, MICI PLWM
26. *THELERI THŴP*, DEWI PWS MORRIS
27. *CRYCH DROS DRO*, GWILYM OWEN
28. *Y DYN 'I HUN*, HYWEL GWYNFRYN
29. *AR LWYFAN AMSER*, J. O. ROBERTS
30. *BYWYD BACH*, GWYN THOMAS
31. *Y CRWT O'R WAUN*, GARETH EDWARDS
32. *HYD YN HYN*, GILLIAN ELISA
33. *SULWYN*, SULWYN THOMAS
34. SIÂN JAMES

CYFRES Y CEWRI 34

Siân James

Gwasg
Gwynedd

Argraffiad cyntaf — Gorffennaf 2011

© Siân James 2011

ISBN 978 0 86074 272 2

Mae'r cyhoeddwyr yn cydnabod cefnogaeth ariannol
Cyngor Llyfrau Cymru.

*Cyhoeddwyd gan
Wasg Gwynedd, Pwllheli*

I
Mam a Dad

Cynnwys

Teulu Mam

Dwi ddim yn berson digalon er mod i'n canu am farwolaeth yn reit aml, diolch i'n caneuon gwerin sy'n trin a thrafod y pwnc yn barhaus! Ond mae gen i wastad ryw ddyhead i ddeall ac ystyried 'pethe amgenach', a dwi'n sicr bod y dyhead hwnnw ynghlwm wrth rai o'r profiadau dwi wedi'u cael yn fy mywyd.

Un o'm hatgofion cynta ydi gweld fy nhad-cu'n gorpws yn ei wely. Cofiaf sefyll wrth erchwyn y gwely yn gafael yn llaw gynnes fy mam, a'r ddwy ohonom yn sbio'n fyfyrgar ar ei wyneb difywyd.

'Oooo . . . wedi marw,' meddwn, fel tawn i'n sôn am ryw ddigwyddiad bob dydd, a rhedeg allan o'r stafell i chwarae. Yn ôl yr hanes mi fyddwn yn plagio Mam bob ryw chwarter awr i gael dychwelyd i sbio'n fanwl ar gorff Tad-cu yn y gwely, ac ebychu'r ymadrodd unwaith yn rhagor. Digwyddodd hyn droeon yn y diwrnodau cyn ei gligieth (gair sir Drefaldwyn am 'gladdedigaeth').

Roedd Tad-cu yn alcoholig, ac erbyn y diwedd yn yfed potelaid a hanner y dydd o Dimple Whisky. Mae gen i atgof ohono'n cael ei lusgo i'r tŷ bach – Mam un ochor iddo a Kathleen (merch ifanc leol oedd yn byw gyda ni – 'live-in Nanny' cyn bod y peth yn ffasiynol!) yr ochor arall, a Tad-cu'n gafael yn dynn yn ei botel wisgi. Roedd Tad-cu wedi dod i dreulio misoedd ola'i fywyd gyda'i ferch a'i theulu, ac er i'w yfed beri tipyn o ofid i Mam, mae'n debyg bod ambell beth doniol wedi digwydd hefyd yn sgil y meddwi.

Byddai Mam a Dad yn amal yn gorfod moyn Tad-cu o'r dafarn leol, ac yn hytrach na'n gadael ni'r plant yn y tŷ ar ein pennau'n hunain, byddai raid i Mam fynd â mrawd a finne efo hi yng nghefn y car a ninne'n dal i rochian cysgu. Ar y ffordd adre byddai Tad-cu'n cael y sbort ryfedda'n herian Mam wrth ddiffodd goleuadau'r car a morio canu. Un tro, wrth yrru i fyny o Lanfair Caereinion ar ôl un o'i sesiynau, a mynydd Moelbentyrch yn ymestyn yn hardd o'n blaenau, dyma fo'n datgan yn fawreddog:

'Lovely view of the Cardigan Bay . . .!'

Dwi 'di pendroni dipyn ynglŷn â pham wnaeth o droi at yfed. Clerc banc ydoedd o ran ei alwedigaeth ac yn y dyddie hynny, yn ôl fy nhad, mae'n debyg fod cymdeithasu mewn tafarndai yn rhan annatod o fywyd banciwr! Ond cyn i mi ddechre ceisio dyfalu pam y bu iddo ddisgyn i bydew alcoholiaeth, ella 'sa'n werth imi roi rhywfaint o hanes ei deulu, ac wrth gwrs hanes teulu fy nain, neu Nain Sowth fel byddwn i'n ei galw hi.

Ganwyd Tad-cu yn Llan-non, Ceredigion, yn 1899 yn unig fab i Evan Jones a Mary Elisabeth Davies. Ei enw mawreddog oedd William Lloyd Davies Livingstone Jones – Wil i'w ffrindie. Morwyr oedd teulu Tad-cu – capteiniaid llongau er dechrau'r bedwaredd ganrif ar bymtheg – a fo oedd y cynta i dorri'r llinach yrfaol honno. Ei gartref genedigol oedd y Barbara, tŷ a enwyd ar ôl un o longau fy nghyndeidiau a thŷ yn null y capteiniaid llongau gyda selar a phedair llofft a chlamp o ardd yn y cefn. Ond mae'n debyg mai còg bach digon gwantan oedd o, a bu'n drwm ei glyw gydol ei fywyd. Dychmygaf iddo gael plentyndod llawn maldod gan fod ei dad yn teithio i bellteroedd byd ac i ffwrdd am fisoedd lawer, ac felly dim ond Wil a'i fam oedd gartref. Mae gen i lun yn fy mhen ohono'n eistedd wrth y tân gyda'i fam yn astudio'i gasgliadau helaeth o stamps o wledydd tramor a chardiau post o bedwar ban y byd a anfonwyd ato gan ei dad, a'r ddau'n hiraethu amdano, mae'n siŵr. Mae'r casgliadau hynny'n dal gen i. Mae creiriau teithiau fy nghyndeidiau'n llenwi tŷ fy nhad – lluniau olew o olygfeydd o'r môr, crochenwaith Japanaeg a hyd yn oed dwlsyn i smocio opiwm! Anrheg arall gafodd Wil bach oedd parot mawr swnllyd a fyddai'n cael ei gadw mewn cawell mawr yn y stafell ffrynt.

Roedd Nain Sowth o gefndir gwahanol iawn. Cafodd ei geni yn 1900 yn un o ferched hyna Bronhaul, Carno – teulu tipyn tlotach na theulu Tad-cu. Roedd ei thad, fy hen daid, yn dipyn o fardd ac mae'n debyg ei bod hi'n dipyn gwell ganddo lunio llinell o gynghanedd nag ymaflyd â'r gwaith ar y ffarm. Fyddai Mam yn deud wrtha i y byddai ei mam a'i chwaer, Anti Irene, yn gweithio'n galed iawn ar y ffarm i gadw pethe i fynd tra byddai eu tad yn mynd i ffwrdd i ryw steddfod neu'i gilydd, neu'n barddoni yn ei wely!

Dydw i ddim yn siŵr ble cyfarfu Tad-cu â Nain Sowth ond gwn eu bod wedi priodi yn Birmingham, yng Nghapel Cymraeg Hockley Hill. Dyfalaf o ddyddiad y briodas a dyddiad geni eu plentyn cynta, sef fy Yncl Joe, mai tipyn o 'rushed job' oedd hi! Daeth Marjorie Ann (fy mam) i'r byd ddwy flynedd yn ddiweddarach ar 18 Medi 1929. Bu Tad-cu'n glerc banc mewn gwahanol ardaloedd tan iddyn nhw gyrraedd Llanybydder lle buon nhw'n byw am sawl blwyddyn, ac yno y dechreuodd y plant yn yr ysgol.

Ond mae'n debyg i yfed fy nhad-cu fynd yn drech na Nain Sowth a chymerodd y penderfyniad a newidiodd gwrs ei bywyd hi a'i phlant yn llwyr. Rhyw fore, paciodd gês o ddillad i'r tri a gadael Llanybydder unwaith ac am byth. Roedd fy mam yn cofio sefyll ar blatfform yr orsaf drenau yn disgwyl y trên, ac yn methu deall beth oedd y rheswm dros y fath gynnwrf. Yn tyfu mewn bocs bach yn ei hymyl roedd tiwlips duon – rhywbeth na welsai hi erioed o'r blaen ac na welai byth wedyn – symbol, rywsut, o'r torcalon oedd i ddod.

Ddalson nhw drên i lawr i Gasnewydd oherwydd bod gan Nain rywfaint o gysylltiadau yn y dref ar ôl bod yn byw yno am gyfnod: yn wir, yng Nghasnewydd y cawsai Mam ei geni, yn 32 Grafton Road. Ond mae'n rhaid nad oedd Nain wedi gwneud unrhyw drefniadau pendant ynghylch lle i aros yno, a bu'r tri'n cerdded strydoedd y dre tan bedwar o'r gloch y bore cyn cael hyd i lojings oedd yn fodlon cymryd plant. Un ystafell fach oedd ganddynt heb unrhyw fath o ddodrefnyn na hyd yn oed olau. Cymerodd y landlord drueni drostynt ac aeth i moyn bylb ar gyfer yr unig olau oedd yn yr ystafell. Daeth â stôl gydag ef i gyrraedd y golau a'i gadael ar ôl iddyn nhw. Cofiaf Yncl Joe yn sôn eu bod yn cymryd eu tro i eistedd ar y stôl fondigrybwyll a bod yr holl beth wedi tyfu'n rhyw fath o gêm wallgof! Mae'n anodd i mi ddirnad y fath sefyllfa a minne'n fam i dri o blant hapus ac yn rhan o uned mor ddedwydd gyda gŵr cariadus. Mae'n rhaid bod Nain druan wedi cyrraedd pen ei thennyn go iawn iddi fod wedi gwneud y fath benderfyniad heb fawr o gynllunio na threfnu ymlaen llaw.

Mae'n debyg i Tad-cu bwdu'n arw, yn ôl y disgwyl, a bu'r cyfathrebu rhyngddynt yn o sur. Mewn cist fach yn y Gardden (fy nghartref) mae gen i gasgliad mawr o lythyron rhwng Tad-cu a Nain Sowth dros gyfnod o dros ddeng mlynedd – o gyfnod cythryblus y gwahanu hyd at gyfnod pan ddaeth y cyfathrebu'n fwy cyfeillgar.

Mae'r cofnod hwn o gyfnod a effeithiodd ar fy mam a'm hewythr mor ddirfawr yn amhrisiadwy i mi. Nid yn unig mae eu darllen yn agor y drws ar berthynas y ddau ond maen nhw hefyd yn gofnod o arferiad sydd bellach yn diflannu yn y gymdeithas, sef ysgrifennu llythyron. Mae tristwch a phoen y ddau yn amlwg iawn, fel y gwelir o'r detholiadau hyn:

12 Crescent Road
Newport, Mon
9.2.1938

Dear William,

Your solicitor has now given me permission to write direct to you after one very unpleasant letter from him which contained threats, intimidations etc. I have written to you since three weeks today begging you to send me my linen and other things, and up to the time of writing they have not arrived . . .

I will be very pleased to hear when you intend seeing the children as please do not ever call to see me here. You and I must never meet again and furthermore, people about here think I am a widow and I let them think so.

As I am only in rooms here, you would in any case have to stay at some Hotel, so the best I can do is to bring the children there and leave them with you for as long as you arrange for by appointment. By that arrangement any unpleasantness at the house here will be avoided and therefore there will be no need for me to seek protection beforehand.

Yours faithfully

E.E.

Yna, bum diwrnod yn ddiweddarach:

Dear William,

I was very pleased to hear your voice this morning on the Phone. Is there any chance of a reconciliation? Your voice on the phone this morning gave me new hope, I find I still love you more than I ever did.

Think it over well and let me know, and if there isn't, well then send the trunks. I do not want the china sent me, keep it.

The reason I phoned was this, I had a letter from Meg [chwaer Nain], and Evan John had been to the NP [y banc] and the manager there told him "your brother in law is coming here in a fortnight's time" and they were very worried as all EJ's family bank with the NP and as you know they do not like any one of the family to know their money affairs, it put them all in a terrible fix as the only alternative was to change their bank. That they did not want to do as they have dealt with the NP for many many years now.

I wonder where you will go now, if you would have us back I'd not mind where.

Yours with all our love

Vina, Lloyd and Marjorie

xxxxxxx to Daddy from LL and M.

Llythyr wedyn oddi wrth Tad-cu mewn Saesneg rhwysgfawr, cyfreithiol bron, wedi'i deipio:

The Uplands
Llanybyther
17th February, 1938

Dear Vina,

I duly received your letter of the 14th instant, and was, to say the least of it, astounded to learn that, notwithstanding your accusations of cruelty in the past, you desire to return to me.

I have given your request due and mature consideration, and can only say that I am unable to reconcile myself to the thought of living with you again. Let me hasten to add that this reluctance to resume cohabitation is not actuated by any desire for revenge. I bear no malice, as I am not by nature vindictive. No, it is just that my emotions have received a death blow. Moreover, what assurance have I that there would be no repetition of this unpleasant business in the future? I have your letters before me now as I write, and it is honestly uncomprehensible to me how, after writing on the 9th instant to say, "You and I must never meet again", you write five days later asking to return. What is the motive behind it all?

You have caused me and my family untold misery. I will not go into the sordid details of how I had to go to London to explain how my unfortunate position had arisen. It should suffice to say that by the grace of God I was able, through the loyalty of my Manager, to retain my position in the Bank and thus ensure the future welfare of my children.

I was appointed last week to Newtown but fearing some reaction owing to the fact that your sister is residing in the district, I implored them in London to cancel the appointment. I have now been appointed to a Clerkship at Builth Wells. It is impossible for me to convey to you what I feel when I realise that through your action promotion will ever be elusive.

I wish I could do something if only for the sake of the children, but the risk is too great, and it would not be in their interests if I lost my employment. I should require guarantees before I could entertain any step towards reconciliation.

I deeply regret having to write in this strain but I am trying to convey to you my feelings. I do not think any the less of you, as I always think you are more a subject for pity than derision. You have my assurance that I shall always stand by you should you ever be in need; you have only to let me know. What has been done can never be undone, and it is a great pity that but for this trouble we could have gone on hand in hand until the end.

With all my love to you all,

Yours.

The trunks are beng despatched today. Excuse the typewriter.

To Lloyd and Marjorie, xxxxxxxxxxxxx

Yna hwn:

12 Crescent Rd
Newport, Mon.
18.2.38

My Dear William,

I received your letter this morning. I see you would like some further explanation. I have been ill ever since I came to Newport, and really thought I would have to go to hospital and that letter of the 9th was written in real fear of being caught out having told lies here. As I told you, I was considered a widow. Then I had a letter from Maggie and she told me you were leaving Llanybyther and she has begged us to come together again. The Manager of Llanfair told her I was dead and that upset her very much.

It was then I saw a chance to start again, in a new place. I am fairly comfortable here and the children are happy here, but I know there will be a time William when we will need one another very much. Once, hatred filled my heart towards you but that has changed into a deeper understanding, and now I understand better the word "Tolerance". William, before it is too late I thought if only we could go once again hand in hand as you put it so nicely.

No William I have no guarantee. I would take you on trust and would expect you to do the same with me. Our quarrel seems so small somehow to affect the whole future of four people. I know quite well you need me by your side as much as I need you. I will do my best, my level best to make you happy again. How I see it, it was a big mistake we ever parted. I feel the need of a home, your protection and above all your love and I see you are not prepared to give us a

17

chance. You say I am a subject for pity, no doubt I am, well then that is all the more reason for you to take me back.

It is solely for the children's sake I want to come back. Do you realise what a big responsibility it is bringing up these two children? Please William, think of the children, how we all need you so much.

The people of this house are moving to Birmingham and have asked me to become the tenant; the rent would be 17/6 per week but I can sublet of course which will help. I do not know what to do. If you want us back will you advise me what to do.

I am sure you will answer by return or wire as so much depends on this. If you promise to take us back I am sure you will be good to us.

Yours ever

Vina

xxxxxxxxx to Daddy dear from Lloyd and Marjorie and Mammy

PS. We need your assurance and kindness much more than you need ours.

Er gwaethaf y llythyr trist uchod, chymerodd Tad-cu mohonyn nhw'n ôl. Dwi wedi pori trwy'r holl lythyron yn drwyadl iawn ac wedi trio ngorau i fod yn deg â'r ddau gan nad ydyn nhw yma i amddiffyn eu penderfyniadau. Ond mae llythyr neu ddau gan Nain Sowth yn cyfeirio at ei 'greulondeb' a'i 'yfed trwm', a'r ffaith nad oedd yn rhoi arian iddi gynnal y cartref. Mae'n debyg iddi ddengid oddi wrth Tad-cu unwaith cyn hynny hefyd, pan oedd Yncl Joe yn fabi, a mynd at ei theulu yng Ngharno. Casglaf o'r llythyron mai ei 'physical cruelty' tuag ati oedd y rheswm iddi ei adael.

Mewn un llythyr yn fuan ar ôl dianc i Gasnewydd, dywed –
'At least he did not resort to physical cruelty this time.'

Does dim dwywaith nad oedd Nain Sowth yn bersonoliaeth gymhleth, felly rhwng y ddau fyddai'r berthynas byth yn un hawdd. Sylwais nad oes un cyfeiriad at y rhyfel yn yr un o'r llythyron, er eu bod yn cwmpasu'r cyfnod yn berffaith – 1938–46. Ymddengys bod eu rhyfel cartref nhw, rywsut, wedi disodli'r sefyllfa gythryblus oedd yn digwydd o'u cwmpas.

Ond mae un peth yn amlwg: tyfodd hyder Nain Sowth yn aruthrol yn ystod y blynyddoedd hyn. Yn y llythyron cynta mae ei sgwennu'n llawn ofn – yn fratiog ac yn despret, rywsut – ond wrth i'r blynyddoedd fynd yn eu blaenau mae ei chryfder mewnol yn ei amlygu ei hun yn ei geiriau. Unwaith y sylweddolodd nad oedd gobaith ailddechrau gyda Tad-cu, mae'n debyg iddi orfod ymdopi â'r sefyllfa a gweithio'n aruthrol o galed i roi'r gorau i Mam ac Yncl Joe trwy gydol eu magwraeth. Rhaid cofio hefyd i rôl y ferch newid yn sylweddol yn ystod yr Ail Ryfel Byd. Oherwydd bod y rhan fwya o'r gwŷr abal wedi gadael i fynd i'r rhyfel, disgynnai holl gyfrifoldeb y cartref a'r gwaith ar ysgwyddau'r gwragedd. Erbyn diwedd y rhyfel doedden nhw ddim yn fodlon ailafael yn y rôl lywaeth ac eilradd oedd ganddyn nhw cynt, ac mae'n debyg i lawer o'r gwragedd gael golwg newydd ar fywyd.

Mewn llythyr yn 1951, meddai Nain Sowth wrth gyfeirio at ryw anghydfod roedden nhw'n amlwg newydd ei gael:

you are not answerable nor obligated to anyone for your actions, and so likewise the same applies to me. There is

19

not one rule for you, and a different one for me you know, as in the olden days.

Ond does dim dwywaith na wnaeth straen cyfnod cynnar eu gwahanu ddeud yn aruthrol ar Nain, oherwydd yn ystod y cyfnod hwn y dechreuodd hi ymddwyn yn wael tuag at y plant, a dechrau colli'i thymer yn gyson a'u bwrw'n achlysurol. Mam oedd yr un fyddai'n cael ochor waethaf ei rhwystredigaeth, a chofiai i'w brawd mawr ei wthio'i hun rhyngddyn nhw yn ystod un ymosodiad a gweiddi:

'No, Mami! No, Mami! Hit me instead!'

Byddai Mam yn aml yn ceisio amddiffyn ei mam wrth adrodd y stori, gan ddeud bod bywyd yn ofnadwy o anodd iddi a'i bod hithau fel plentyn yn dipyn o lond llaw. 'Well, you see, I was a very obstreperous child.'

Isafbwynt y sefyllfa erchyll hon oedd i Nain gael ei riportio i'r gweithwyr cymdeithasol, a gorfu i'r tri fynd o flaen eu gwell i benderfynu a oedd hi'n ddigon 'tebol i edrych ar ôl ei phlant. Roedd Mam yn cofio i Nain ddeud wrthi hi a'i brawd cyn y gwrandawiad bod yn rhaid iddyn nhw ddeud fod popeth yn iawn ac nad oedd dim byd wedi digwydd, neu byddai'r bobol ddiarth yn eu gwahanu a mynd â'r ddau oddi wrthi. Y penderfyniad yn y diwedd oedd y byddai hi'n cael cadw ei phlant, a dyna ben ar y bennod frawychus honno.

O dipyn i beth, daeth rhyw fath o normalrwydd i'w bywydau. Aeth Yncl Joe i ysgol leol ond penderfynodd Nain y byddai Mam yn cael gwell addysg yn yr ysgol Gatholig – St Joseph's Convent School for Girls, oedd yn cael ei rhedeg, wrth gwrs, gan leianod. Roedd Nain druan cyn dloted â llygoden eglwys ac yn methu talu'r ffioedd, felly dyma ddyfeisio stori: roedd Nain Sowth yn weddw dlawd ac felly'n medru hawlio 'special dispensation' a chael y ffioedd wedi'u talu drosti. Y cytundeb rhwng Nain a'i merch oedd na fyddai Mam yn yngan gair wrth neb bod ei thad yn fyw ac yn iach. Cadwodd Mam at ei gair er mor ifanc oedd hi ac ni ddywedodd air wrth neb, a bu'n 'border' gydol ei chyfnod ysgol tan oedd hi'n un ar bymtheg oed.

Oherwydd ei sefyllfa ariannol, roedd yn rhaid i Nain fynd allan i weithio. Gan mai nyrs oedd hi wrth ei galwedigaeth, cafodd waith mewn cartrefi nyrsio ar hyd a lled y wlad. Roedd y ffaith fod Mam mewn ysgol breswyl yn help gan fod Nain i ffwrdd am gyfnodau hir gyda'i gwaith, ond gorfu i Yncl Joe fynd i aros mewn lojings gyda theulu o Gasnewydd am flynyddoedd. Tair ar ddeg oed oedd o pan aeth yno gynta.

Yn ystod cyfnod Casnewydd daeth yr Ail Ryfel Byd i fwrw'i sen ar y byd, ac er mor erchyll oedd y fath beth i bob oedolyn, ymateb Mam fel plentyn oedd neidio i fyny ac i lawr wedi ecseitio'n lân gan weiddi:

'We're going to war, we're going to war!'

Hyd yn oed wrth i'r Luftwaffe lorio 'dirty little Newport', yr hyn gofiai Mam oedd y cynnwrf a'r chwerthin wrth i'r plant gael eu hwrdio i'r sheltyrs ym mherfeddion yr ysgol, ac yna'r edrych ymlaen wrth i'r wawr dorri i fynd i gasglu'r shrapnel oddi ar fuarth yr ysgol.

Anfonwyd Mam ac Yncl Joe at deulu Nain yn sir Drefaldwyn yn ystod cyfnod mwya cythryblus y rhyfel: Yncl Joe at Yncl Ffransis (ei brawd) a'i wraig, Anti Gwen, ym Mronhaul, Carno, a Mam at Anti Magi (chwaer Nain) a'i gŵr hithe, Yncl Ifan John, yn Gyfylche, Llanerfyl.

Roedd gan Anti Magi nythaid o blant bach fel ag yr oedd hi ond roedd y cynhesrwydd a'r cariad a ddangoswyd tuag at Mam yn gwbwl ddiamod, a chymerodd Anti Magi hi at ei chalon fel un o'i merched ei hun. Yn sydyn, roedd gan Mam deulu cariadus, swnllyd, cefn gwlad o'i chwmpas, a dwi'n amau i hyn iacháu'r boen a'r dryswch a brofodd hi yn ei blynyddoedd cynnar. Gwn fod Yncl Joe hefyd wedi derbyn yr un cynhesrwydd yng Ngharno, gan i deulu Bronhaul aros yn agos iawn at ei galon hyd y diwedd.

Bu'r cysylltiad â Gyfylche yn un clòs trwy gydol bywyd Mam a byddai'n dychwelyd yno bob cyfle a gâi. Tyfodd i fyny gyda merched Gyfylche – Beryl, Rose, Ann a Mari 'Cwlen' (fel roedd y teulu'n ei galw gan mai hi oedd y cyw melyn olaf). Roedden nhw'n ystyried Mam fel eu chwaer ac mae'r cysylltiad hyd heddiw yn un agos a chynnes. Roedd pedwar o gogie yn ogystal – Thomas, Soley, Alun a Wyn, a gyda phob beichiogiad byddai Nain yn ceisio awgrymu wrth ei chwaer y dylai Yncl Ifan John ddefnyddio condom, ac yn wir mi fyddai'n anfon rhai ati drwy'r post! Dynes o flaen ei hamser oedd fy nain, ond serch hynny, diolchaf na chymerodd Anti Magi gyngor ei chwaer fawr o ystyried y cymeriadau a ddaeth i'r byd yn sgil yr anwybyddu!

Yn ystod ei hymweliadau â Llanerfyl ac â Charno dechreuodd Mam siarad mwy o Gymraeg. Er bod teulu Nain Sowth a theulu Tad-cu yn siarad Cymraeg, Saesneg oedd iaith yr aelwyd – sefyllfa gyffredin iawn yn y dyddiau hynny (fel heddiw, yn anffodus). Saesneg oedd iaith gynta Mam gydol ei bywyd, ond mi lwyddodd i fagu digon o hyder yn y Gymraeg i gystadlu yn yr eisteddfodau lleol – yn adrodd cerddi dyrys – ac actio mewn dramâu lleol.

Bei-ling oedd iaith ein haelwyd ninnau'n blant – Saesneg y rhan fwya efo Mam, a Chymraeg efo Dad. Saesneg oedd yr iaith ro'n i'n fwya cyfforddus ynddi oherwydd y sgyrsiau dyrys a gawswn dros y blynyddoedd gyda Mam – ac mae hyn yn wir hyd heddiw, a deud y gwir. Efallai y bydd hyn yn syndod i lawer ohonoch chi, ond mae fy nhreiglo a'm geirfa yn dal i roi'r bendro i mi o hyd!

Yn sgil yr ymweliadau â Gyfylche, daeth Mam ar draws rhai o gogie drygiog y fro, a Dad yn un ohonyn nhw, wrth gwrs. Un noson, ar ôl cyngerdd yn neuadd y pentref, roedd criw mawr o bobol ifanc yr ardal yn cerdded am adref gyda'i gilydd. Roedd Mam a'i chyfnither Rose yn ymlwybro tua Gyfylche gyda'r dorf, ac ar ben rhiw Caebachau, dyma stopio a dechrau meddwl pwy fyddai'n eu hebrwng at stepen y drws, fel petai. Dwi'n dychmygu golygfa reit ddoniol o'r cogie'n twtio'u hunain ryw fymryn – crib sydyn trwy'r gwallt a sythu tei – ac yna'r merched yn dewis a dethol o'r dorf o'u blaenau! Daeth un dyn ifanc i'r blaen gan gynnig ei hun yn daer am y job o fynd â Mam adre – 'cocanero o tsiap' a gredai mai fo oedd y boi perffaith i gyflawni'r fath dasg bwysig. Ond un oedd yn gwybod ei meddwl ei hun oedd Mam a daliodd ei llygad ŵr ifanc golygus ond swil yng nghefn y dorf. Dad oedd hwnnw! 'Gei *di* fynd â fi,' meddai wrtho fo'n benderfynol. A dyna fu!

Ar y cyfan, bu cyfnod Mam yn yr ysgol yn un cymharol hapus er, mae'n debyg, i rai o'r lleianod fwrw'u sen arni o bryd i'w gilydd. Un tro, daeth Nain Sowth i weld un o'r lleianod am safon gwaith Mam. Cwyno oedd honno nad oedd Mam yn dangos digon o ymroddiad i'w gwaith ac yn y blaen. Sylwodd Nain o'r adroddiad fod Mam wedi cael marc uchel yn ei harholiad Mathemateg ac yn *Geometry*, ac meddai,

'Oh look, Sister, she had a wonderful mark in her Geometry and her Maths.'

'Those don't count – they come easy to her!'

Yn ystod cyfarfod arall yn yr ysgol mynegodd Mam ei dyhead i fod yn feddyg.

'Hah! You'll be lucky if you get a job in Woolworths, my girl,' oedd yr ateb.

Ond, ar nodyn mwy cadarnhaol, cafodd y cyfle yno i ddysgu canu'r piano a'r ffidil, ac fe fagwyd ynddi gariad at farddoniaeth Saesneg a Shakespeare, ac yn sgil hynny, wrth gwrs, gariad at actio. Roedd Mam yn actores wych a chafodd lawer o gyfleon dros y blynyddoedd i ddangos ei dawn mewn cynyrchiadau amatur.

Er gwaethaf sylw annifyr y lleian, penderfynodd y byddai'n dilyn gyrfa fel nyrs, ac yn ddwy ar bymtheg oed cafodd ei derbyn i ddilyn cwrs ym Manceinion. Ond roedd un maen tramgwydd: yn sgil y *traumas* emosiynol a gawsai yn ei blynyddoedd cynnar, roedd Mam wedi bod yn gwlychu'r gwely'n gyson. Llwyddodd rywsut i oresgyn y broblem yn yr ysgol ond roedd wynebu'r broblem ar ddechrau ei gyrfa yn ei phoeni'n aruthrol. Yn naturiol bu'n trafod y peth gyda'i mam er mwyn trio datrys y broblem. Mae'n siŵr ei bod hithau wedi cynnig gofyn i Tad-cu am gyngor ond roedd ymateb Mam yn bendant:

'Mami, don't ever tell Daddy about it. Please, I beg you, don't tell him!'

Cytunodd Nain Sowth i beidio â sôn wrtho, ond yn ystod un o ymweliadau Mam â'i thad yn Aberystwyth, meddai hwnnw'n chwyrn wrth ei ferch:

'What's this nonsense I hear about you wetting the bed?'

Chafodd Nain ddim llawer o faddeuant am honna.

Ond llwyddo i oresgyn y broblem wnaeth Mam yn y diwedd, a chafodd gyfnod hapus yn ystod ei hyfforddiant fel nyrs. Ar ôl pasio fel SRN, aeth ati i ddilyn cwrs hyfforddi fel bydfeth (gair Maldwyn am fydwraig neu fydfaeth), a hyn fu ei bywyd tan iddi ymddeol yn ei phumdegau.

Diflannodd y broblem gwlychu y funud y priododd hi Dad. Byddai'n taeru wrtha i mai gofal annwyl fy nhad a chadernid eu perthynas oedd y rheswm dros hyn. Am y tro cynta yn ei bywyd, roedd Mam yn teimlo'n saff.

Priododd Mam a Dad ym mis Hydref 1956 yn Eglwys Llanerfyl, a phenderfynodd y ddau yrru trwy Ffrainc a Sbaen, yr holl ffordd i Barcelona ar eu mis mêl. Antur a hanner, a deud y lleia, mewn cyfnod pan oedd gyrru i farchnad y Trallwm ar fore dydd Llun yn uchafbwynt wythnosol (byddai'r daith honno'n cymryd dros dair awr ar y 'Ffyrgi bech' – un o'r Massey Fergusons cynta a adeiladwyd!). Pan glywodd Taid Gardden am y daith mis mêl, mae'n debyg ei fod yn llwyr yn erbyn y fath nonsens gan iddo ddatgan yn ddramatig wrth fy nhad: 'Ddowch chi byth yn ôl.' Car bach digon tila oedd ganddyn nhw, ac ar y ffordd adre, wedi gwneud dros ddwy fil o filltiroedd, bu farw'r car druan heb fod ymhell o Baris. Yng ngeirie Mam – 'The poor thing gave up the ghost.' Un o'r arwyddion ei fod yn dirywio'n angheuol oedd bod y gwres tu mewn i'r car wedi darfod, ac am filltiroedd trwy diroedd Ffrainc bu'n rhaid iddyn nhw wisgo llwyth o sanau am eu dwylo rhag cael winthrew!

Sefydlu cartref wedyn yn 'tai newydd' – tai cownsil pentref Llanerfyl – a byw yno'n ddedwydd am flynyddoedd. Dad yn gweithio gyda'i dad yn ffarmio'r Gardden am bumpunt yr wythnos, a Mam yn gweithio yn Ysbyty'r Trallwm fel nyrs a bydwraig. Yna daeth tŷ o'r enw Bryntanat ar werth: clamp o dŷ mawr crand ar gyrion y pentref lle bu byddigions y fro yn byw am genedlaethau. Doedd gan Mam a Dad fawr o arian ar y pryd ond roedden nhw'n benderfynol nad oedd hyn yn mynd i fod yn faen tramgwydd iddyn nhw, ac ar ôl derbyn pum cant o bunnau gan Nain Sowth a phum cant arall gan Nain a Taid Gardden, a'r gweddill ar fenthyg gan y banc, fe brynwyd Bryntanat. £2,500 oedd pris y tŷ – bargen a hanner yn ôl prisiau heddiw, wrth gwrs, ond menter a hanner yn 1958. Dywedodd Dad wrtha i'n ddiweddar mai'r rheswm dros y ffaith bod Mam mor benderfynol mai Bryntanat fyddai ei chartref oedd nad oedd hi erioed wedi cael ei chartref ei hun y gallai ei gofio. Gofynnodd y ddau i Tad-cu am gymorth ond yr esboniad roddodd o iddyn nhw am beidio'u helpu oedd: 'You'll get it all after I'm gone!'

Ar ôl symud i Bryntanat, ganwyd Lloyd fy mrawd ddechrau haf 1959 a minne ar 24 Rhagfyr 1961 – deirawr cyn dydd Nadolig! Mae'n debyg i fydwragedd Ysbyty'r Trallwm erfyn ar Mam i drio dal yn ôl er mwyn cael 'Christmas baby', ond ymateb anfarwol f'annwyl fam oedd: 'Christmas baby? Get this bloody baby out NOW!'

Â dathliadau'r Nadolig yn eu hanterth, mae'n debyg bod y siampên yn llifo yn yr ystafell fach yn Ysbyty'r Trallwm y noson honno, a'r doctoriaid a'r bydwragedd oll yn mwynhau'r achlysur. Gofynnodd un o'r genod be oedd Mam am fy ngalw:

'Siân,' meddai Mam yn falch – enw digon anghyffredin yn y dyddiau hynny, mae'n debyg!

'Good God, Marjorie, you can't call her that – that's a dog's name!'

Babi bach digon gwantan oeddwn i am gyfnod byr oherwydd i mi gael fy nharo gan y frech goch, ac o ganlyniad ces bwl o *double pneumonia* a'm gadawodd â brest wan gydol fy mhlentyndod. Cofiaf ambell ymweliad ag Ysbyty Machynlleth i gael profion pelydr-X a chael f'asesu. Os byddai annwyd wedi cael gafael ar fy mrest, y broses bob nos fyddai troi cadair wyneb i waered a'm gosod dros glustog rhwng coesau'r gadair a gadael i mi hechian yno fel hen fuwch am yr hyn a deimlai fel oriau!

Teulu Dad

Mae f'atgofion cynnar am Nain a Taid Gardden, rhieni Dad, yn rhai braf a chysurlon. Dyddiau hir o haf yn y caeau gwair a the ar y glaswellt crin wrth gymryd hoe o'r belio, rhedeg yn wyllt fel merlen fynydd dros foncyn y Gardden, lluchio cerrig i mewn i Lyn Tyrbin ac yna carlamu i lawr y llethrau i edrych am bysgod yn y nant fach a lifai i lawr o'r llyn i waelod Cwm. I lawr wedyn i fwthyn Taid a Nain i gael te, ac eistedd yn y gegin gefn yn gwrando ar eu sgyrsie dwys am hwn a'r llall. Sgwrs a thawelwch am yn ail o flaen y Rayburn – Nain yn eistedd yn ei chadair arferol yn syllu'n freuddwydiol drwy ddrws y bac i lawr y cwm, Taid yn yfed ei de yn swnllyd o soser, Dad â'i goesau wedi ymestyn o'i flaen ar y gadair bren wrth y bwrdd bwyd yn rhyw hanner pendwmpian, a finne'n cymryd bet pwy fase'n torri ar y tawelwch gynta. Anadl drom gan Taid, a'r ebychiad arferol yn tarfu ar yr heddwch:

'Aaaaa-di-di,' (sef 'ydi, ydi!') meddai'n fyfyrgar – a finne'n ennill y bet!

Mae'r gwahaniaeth rhwng magwraeth fy mam a fy nhad yn aruthrol. Bywyd clòs cefn gwlad gafodd Dad, bywyd llawn caledi'r byd ffermio ond bywyd oedd hefyd yn llawn cynhesrwydd teuluol a bwrlwm cymdeithasol.

Ganwyd Dad yn 1930 yn y parlwr yn y Gardden, y tŷ lle rwyf inne'n byw heddiw gyda fy nheulu. Dad oedd yr unig fab, a'r hyna o bump o blant John (Jac) James a Ruby

Davies. Y pump oedd Dad (William Gwynfryn), Eluned, Margaret, Eirlys ac Eirwen – plant hardd â gwalltiau melyn, melyn.

Er mai yn Llanerfyl y ganwyd Dad, fe'i magwyd ar ffarm fechan o'r enw Foel Ysgawen yn Cefn Coch, pentref bach nid nepell o Lanerfyl fel yr hed y frân. Aeth i Ysgol Cwm, 'ysgol bach' arferol gefn gwlad â dwy ystafell – un i'r plant bach ac un i'r plant mawr – a chlamp o stof fawr yn un pen i gadw pawb yn gynnes. Toiledau'r tu allan, wrth gwrs, gyda rhyw damaid bach o do a thair bwced o dan y seti bach pren.

Byddai Dad yn cerdded dwy filltir a hanner bob dydd yn ei sgidie hoelion i gael ei addysg: tipyn o ddarllen a Mathemateg ac, wrth gwrs, garddio. Roedd pedair gardd yn yr ysgol a'r plant eu hunain yn edrych ar eu holau. Mae Dad yn glamp o arddwr hyd heddiw ac wrth ei fodd yn tyfu'i lysiau ei hun. Mae o, fel finne, yn teimlo ein bod wedi colli rhywbeth sylfaenol iawn yn addysg ein plant wrth beidio â throsglwyddo iddyn nhw'r ddawn elfennol honno o dyfu bwyd. Ond dyna ni, o leia mae cyflwr ein toiledau wedi gwella!

Ar ôl marwolaeth Yncl Billy – brawd hyna fy nhaid – daeth y Gardden yn eiddo i Taid, a symudodd y teulu yno yn 1942. Mae'n debyg bod llinach y 'Jamsied' wedi bod yn y Gardden fwy neu lai'n ddi-dor er 1756, sy'n eitha rhyfeddol a deud y gwir.

Wedi i'r teulu symud i Lanerfyl dechreuodd Dad fynychu Ysgol y Banw, Llangadfan. Erbyn hyn roedd o'n ddeuddeg oed a rywsut wedi colli'i gyfle i drio'r 11+ er mwyn cael mynychu'r ysgol ramadeg yn Llanfair Caereinion. Mae'n debyg bod fy nhad yn dipyn o sgolar ond, yn Ysgol Cwm bryd hynny, dim ond plant y prifathro gafodd y cyfle i sefyll yr arholiad a fyddai efallai wedi trawsnewid bywyd Dad. Pur anaml y byddai cogie ffarm yn cael y fath gyfle. Ond sylwodd ei brifathro newydd yn Ysgol y Banw fod gallu go lew gan yr hen gòg ac aeth at fy nhaid a'm nain i bwyso arnyn nhw i'w gefnogi i sefyll yr 11+. Yn anffodus roedd Taid yn gwrthwynebu. Pwy allai'i feio fo, wrth gwrs? Wedi'r cyfan, dyna oedd y drefn: fy nhad oedd unig fab y Gardden, ac yng nghwrs naturiol pethe yng nghefn gwlad, fo oedd yr unig etifedd. Pa ddiben addysg bellach a fyddai yn y pen draw, efallai, yn ei dynnu oddi wrth ei dylwyth a'i ardal? Adre oedd ei le o, siŵr iawn.

Wrth gyfeirio at yr hanes, gwelaf rywfaint o anniddig-rwydd a thristwch yn llygaid fy nhad. Tydi o ddim yn ddig wrth ei dad ond efallai ei fod yn hiraethu am y cyfleon y gallai'r còg ifanc peniog fod wedi'u cael.

Roedd fy nhaid, John Morgan James, yn un o bedwar ar ddeg o blant; fo oedd chweched plentyn William a Jane James. Wrth imi fwrw ati gyda'r hunangofiant hwn ces fenthyg hen Feibl gan fy Anti Dwynwen, merch Anti Sydney (un arall o'r pedwar ar ddeg) – Beibl a etifeddodd gan fy hen nain ac wedi'u cofnodi ynddo mewn llawysgrifen hyfryd, henffasiwn, yr oedd genedigaethau'r plant i gyd yn ogystal â dyddiad geni eu rhieni. Yna, ar y dudalen ôl, mae cofnod mewn llawysgrifen fwy simsan o rai o'r marwolaethau.

Roedd fy hen nain yn berson crefyddol iawn ac mi gafodd hi'r Beibl i gofio am un o'i merched a fu farw o'r diciâu yn 1923, ac ar y dudalen gynta o dan ei henw ei hun mae hyn:

Anrhegwyd fi er serchus cof gan fy anwyl ferch Martha
Winnie yr hon a hunodd yn yr Iesu Chwefror 21st 1923.
Un o'i dymuniadau olaf. Yn ugain mlwydd oed.

Fel hyn y mae fy hen nain yn cofnodi'r dyddiadau:

William James Born Jan 26 1873
Jane James Born Dec 7th 1876

———————————————

William James Born Tuesday Nov 20th 1894
Margaret Jane Born Mon Dec 28 1896
Mary Prudence Born Friday Sep 9th 1898
Catherine Sydney Born Sun June 10th 1900
Martha Winnie Born Tuesday April 13 1902
John Morgan Born Sat July 11th 1903
Edward Watkin Born Wed July 27 1904
Rosamund Elizabeth Born Sun Jan 20 1907
Annie Laura Born Tues Feb 23 1909
Harriet Ethelwyn Born Wed March 22 1911
Evan Thomas Born Wed April 14 1915
Emily Maglona Born Sun July 1st 1917
Herbert Glynne Born Mon May 9th 1921
Christopher James Born Sun March 18 1923

Rwy'n eu cofio nhw i gyd ond pedwar, sef Yncl Billy
(William), Anti Magi, Martha a fu farw mor ifanc, a Laura a
gafodd broblemau meddyliol dwys iawn ac a gafodd ei
hanfon i ysbyty meddwl cyn i mi gael fy ngeni. (Y stori a ges
i gan fy nain am Laura oedd ei bod hi wedi cael profiad
gwael ar y ffarm lle roedd hi'n forwyn – rhyw fath o

ymosodiad rhywiol gan un o feibion y ffarm – a bod y profiad hwnnw wedi andwyo'i meddwl am byth.)

Mae pob un o'r pedwar ar ddeg wedi'n gadael erbyn hyn: cymeriadau lliwgar bob un. Roedd canu a cherddoriaeth yn bwysig iawn i'r rhan fwya ohonyn nhw. Byddai Yncl Billy yn canu ac yn arwain côr y pentref cyn i Anti Sydney gymryd drosodd. Daliodd hithau ati i arwain y côr meibion am flynyddoedd lawer a byddai Pen Capel, ei chartref ar ôl priodi, yn fwrlwm parhaol o ganu a miri. Roedd fy nhad yn aelod o'r côr meibion a buont yn gystadleuwyr brwd o gwmpas yr eisteddfodau. Trwy ddwylo ei merch, fy Anti Dwynwen, rwyf inne wedi etifeddu rhai o'r caneuon y byddent yn eu canu ac wedi'u trosglwyddo i Barti Cut Lloi. Dyna deimlad braf ydi hyn'na!

Bu farw William James, fy hen daid, yn ifanc pan oedd Yncl Chris (y mab ieuengaf) yn ddim ond chwe mis oed, a bu fy hen nain yn weddw tan iddi farw yn ddwy a phedwar ugain. Yn ystod eu bywyd priodasol fe fu hi'n gyson feichiog o pan oedd hi'n ddwy ar bymtheg oed hyd nes oedd hi'n bedwar deg a saith, fwy neu lai – ffaith sy'n fy syfrdanu i.

Ymladdodd ei mab hyna, Billy, yn y Rhyfel Mawr, a Chris, yr ieuengaf, yn yr Ail Ryfel Byd. Cyn i Yncl Chris adael i fynd i'r rhyfel rhoddodd fy hen nain Feibl bach iddo a'i siarsio i'w gadw'n agos ato bob amser. Ymhlith y pethau eraill y caniatawyd iddo fynd efo fo oedd darn bach sgwâr o fetal sgleiniog – drych siafio i bob pwrpas – a byddai'n cadw'r Beibl a'r drych ym mhoced frest ei gôt. Yn Burma cafodd ei saethu gan y gelyn a thrawodd y fwled ei frest y tu ucha i'w galon. Y drych bach metal a'r Beibl achubodd ei fywyd. Wrth adrodd yr hanes i'w fam ar ôl dod adre, meddai Chris:

'Dow, do'n i'n lwcus o'r drych bach metal 'na, Mam?'

32

'Na, na,' meddai ei fam yn ddwys, 'y Beibl achubodd dy fywyd di, 'machgen glân i – nid y drych.'

Gwraig gref a gwydn oedd Jane James. O ystyried y profiadau ysgytwol a ddaeth i'w rhan mae'n rhaid ei bod hi'n wraig â chyfansoddiad llewes. Magu pedwar ar ddeg o blant yn ogystal â Tudwal (plentyn bach cynta Anti Sydney), colli ei merch Martha i'r diciêd (y diciâu neu TB), gwarchod ei merch Laura ar ôl iddi hi fynd yn sâl yn feddyliol, ac yna colli ei chymar bywyd mor ddychrynllyd o ifanc.

Dyn prin ei eiriau oedd Taid Gardden. Doedd cynnal sgwrs hefo ni, blant, ddim yn dasg hawdd iddo o bell ffordd. Tynnu coes oedd ffordd Taid o ddangos hoffter tuag aton ni, ac o ganlyniad roedd gen i rywfaint o'i ofn o. Cofiaf un achlysur pan o'n i'n bedair neu bump oed, ac wedi swatio yn y brwyn i bi-pi yn y cae cefn yn y Gardden. A minne yng nghanol prysurdeb rhyw gêm, roedd y syniad o fynd i mewn i'r tŷ i'r toilet fyny staer yn llawer gormod o foddar, ac felly, heb feddwl ddwywaith am y peth, lawr â nghlos a gneud yn y fan a'r lle. Yn sydyn, a minne 'in mid flow', dyma glamp o waedd yn atseinio dros y lle. Fy nhaid!

'Be ti'n feddwl ti'n neud yn fanna?!'

'Dim byd,' medde fi wedi fy nghywilyddio, a rhedeg o'na cyn gynted ag y gallwn i. Daeth amser te a finne'n llawn gofid be fasa Taid yn ei ddeud wrth y bwrdd bwyd. Roedd modryb fy nain yn aros yn y Gardden ar y pryd – Anti Rose Llundain, oedd yn wraig *glamorous* dros ben ac yn hynod o garedig ac annwyl. Wrth brysuro i roi jam ar ei frechdan dyma Taid yn dechrau herian ei fod o wedi fy nal yn pi-pi tu allan, a chwerthin yn iach wrth adrodd yr hanes. Mi es i'n goch fel tomato a theimlo ngwefus isa'n dechrau crynu.

'Callia, Jac,' medde Anti Rose yn chwyrn. 'Be sy mater arnat ti, dwe', gneud iddi gochi fel'na. Bydd ddistaw, wir.' Yna troi ata i'n dawel a nghysuro ei bod hitha'n cochi'n hawdd hefyd, ac i beidio â chymryd sylw o Taid.

Mae gen i 'hang-up' o hyd am bi-pi yn alffresco, fel petai – rhywbeth sy'n peri bonllefau o chwerthin ymysg fy mechgyn i wrth inni fynd am dro. Wel, mae'n iawn iddyn nhw, yn tydi? 'Dio'm mor hawdd i ni ferched, nac'di?!

Mi ddois i'n llawer agosach at Taid wrth i mi dyfu i fyny a dwi'n falch iawn o'r berthynas agos a gawsom yn ystod wythnosau ola'i fywyd. Ces y cyfle i roi help llaw i Nain trwy ei warchod yn ystod nosau hir di-gwsg ei salwch. Ond, yn y diwedd, daeth yn amlwg nad oedd hi'n bosib parhau i gynnal y fath ofal ac aed â fo i'r ysbyty lleol yn y Trallwm. Dwi'n cofio'n glir ei wylio'n cael ei wthio mewn cadair olwyn tuag at ddrws yr ambiwlans a gweld y tristwch llethol yn ei lygaid tywyll. Roedd Taid fel ninne'n sylweddoli mai dyma'r tro ola y byddai'n gweld y Gardden. Wrth i'r dagrau bowlio i lawr fy mochau, gwyddwn inne na fyddwn yn ei weld o eto chwaith. Y diwrnod wedyn roeddwn ar fy ffordd i Killarney efo Bwchadanas i gystadlu yn yr Ŵyl Ban Geltaidd, ac yno, yn Iwerddon, y ces wybod gan Mam ei fod o wedi marw.

Bu fy mherthynas â Nain yn un agos erioed. Gwraig gynnes, ifanc ei ffordd, oedd hi a dangosai ddiddordeb cyson ym mhopeth ro'n i'n ei neud. Doedd dim byd gwell gen i na cherdded i fyny i'r Gardden dros y caeau o Bryntanat ac eistedd wrth y Rayburn yn rhoi'r byd yn ei le efo Nain. Byddai wastad yn cynnig gair o ddoethineb i dawelu rhyw ofid yn fy mhen, a hynny mewn ffordd dawel, ddiymhongar.

Byddwn inne wrth fy modd yn rhannu straeon gwirion o'r ysgol neu'r coleg efo hi, a hithe'n amlwg yn falch o'u clywed. Felly roedd hi gyda'i phlant a gwn fod Dad a hithe'n agos iawn.

Ar ôl cael tri o'i phlant cafodd Nain broblemau iechyd, a rhwng fy modryb Margaret a'm modryb Eirlys, collodd ddau blentyn. Yn ystod y cyfnod hwn bu Dad yn gefn iddi a chymryd llawer o gyfrifoldebau pwysig yr aelwyd drosodd tra oedd hi'n sâl – fel pobi'r bara a chorddi'r menyn a'i gario lawr i siop y pentref i'w werthu. Yn ystod un o'r colledion a hithau'n gwaedu'n beryglus, aeth Dad i dawelwch y beudy i wylo ar ben ei hun bach: roedd o'n argyhoeddedig y byddai Nain yn marw ac yn eu gadael. Ond goroesi wnaeth hi a chael dwy lodes fach arall, un ar ôl y llall: Eirlys ac Eirwen – dwy chwaer oedd fel corff ac enaid gydol eu bywyd.

Mi fuo Nain byw tan ei bod hi'n un a phedwar ugain. Byr fu ei gwaeledd ac yn ei dyddiau olaf mi es i Ysbyty'r Trallwm i ddal ei llaw a sgwrsio efo hi er ei bod mewn coma. Roedd ei merch Margaret yno hefyd gydol yr amser yn mwytho'i thalcen a'i chadw'n gyfforddus. Yn ystod un o ymweliadau'r teulu, cafwyd sgwrs ddwys am gyflwr difrifol Nain, a thrafod â thristwch mawr na fyddai'n debygol o oroesi'r tro yma. Yn sydyn, a hithe heb yngan gair ers dyddiau, meddai Nain yn glir fel y gog:

'Peidiwch â siarad amdana i'r diawled . . . dwi'n clywed chi'n iawn!'

Yna, ar bnawn oer o Ragfyr gyda Margaret un ochor i'r gwely a finne'r ochor arall, daeth ei bywyd i ben. Erbyn hyn, gwn mai braint oedd bod yng nghwmni Nain yn ei munudau olaf. Mae'n debyg mai sefyllfa anarferol iawn yw bod yng nghwmni'r rhai sy'n marw ar yr eiliad a'r anadl olaf, ac er bod llawer ohonom yn breuddwydio am ymadael â'r byd yma yng nghwmni'r bobl rydyn ni'n eu caru, pur anaml mae hynny'n digwydd.

Ar ôl iddi farw daeth pwl o iselder drosof na fedrwn mo'i esbonio ar y pryd. Dwn i ddim pam na feddylies i mai galar oedd yr emosiwn, ond 'nes i ddim. Wedi'r cyfan, pa hawl oedd gen i i deimlo'n drist? Er i Nain orfod wynebu sawl cyfnod o dristwch yn ei bywyd fel y rhan fwya ohonon ni, ar y cyfan mi gafodd fywyd hir a llawn, neu o leia fywyd yr oedd hi i'w gweld yn fodlon ag o. Ddaeth 'run salwch erchyll i'w rhan a chafodd ymadael â'r ddaear hon yn gymharol ddi-boen ac wedi'i hamgylchynu â phobol oedd yn ei charu. Ond ro'n i'n teimlo'n boenus o wag, a pharodd hyn tan i mi gael breuddwyd arbennig iawn.

Dwi wedi bod yn un sy'n cael breuddwydion lliwgar a difyr ers pan o'n i'n lodes fach (wel, difyr i'm meddwl i, beth bynnag!) – breuddwydion sydd rywsut yn cadarnhau i mi fod rhywbeth llawer amgenach i'r byd yma na'n bywydau bach materol bob dydd. Breuddwydion proffwydol; breuddwydion hedegog di-ri, breuddwydion symbolaidd, ac ambell freuddwyd lle dwi'n cael cyfarfod â'r meirw a hwythau'n trosglwyddo neges i mi.

Dyma'r freuddwyd fel rwy'n ei chofio: cerdded trwy ddrws y Gardden a chicio'r welingtons oddi ar fy nhraed. Ymlwybro wedyn trwy'r gegin gefn i mewn i'r gegin a gweld golygfa ysgytwol. Yn eistedd yn ei chadair goch *velour* mae Nain, yn edrych yn brydferth a heddychlon. Rwyf yn syfrdan, gan ei bod wedi marw ers bron i dri mis.

'Nain?' meddaf yn anghrediniol. '*Chi* sy 'na . . .? Be dech chi'n neud yn fama? Ydech chi'n iawn?'

Mae'n codi ac yn cerdded tuag ataf a rhoi clamp o goflaid i mi.

'Dwi'n iawn, wyddost ti . . . ond clywed oeddwn i nad oeddet *ti*'n rhyw hapus iawn.'

'Dwi'n colli chi'n ofnadwy, Nain,' meddwn yn ddagreuol.

'Wel, does dim isio ti boeni amdana i, Siên fech,' meddai hi a gwên lydan ar ei hwyneb. 'Dwi'n hapus braf lle rydw i.'

Ddeffres i'n sydyn wedyn, a sylwi bod yr hen gwmwl fu'n hofran uwch fy mhen ers ei marwolaeth wedi diflannu.

Plentyndod yn Bryntanat

Aeth Mam yn ôl i weithio yn yr ysbyty ar ôl fy ngeni i yn 1961. Roedd arian yn brin a phenderfynodd Mam a Dad gael merch ifanc i mewn i'r tŷ i'n gwarchod ni'r plant, a rhoi cymorth i edrych ar ôl Tad-cu oedd bellach wedi dod i fyw gyda ni.

Kathleen oedd ei henw – lodes leol, fywiog, ddwy ar bymtheg oed. O ystyried ei bod i bob pwrpas yn gwarchod fy mrawd a finne am oriau bob dydd, does gen i fawr o gof amdani, a deud y gwir, heblaw'r llun sydd gen i yn fy mhen ohoni'n rhedeg! Pan ganai'r ffôn byddai'n rhuthro amdano'n wyllt a'i breichiau'n chwifio yn yr awyr fel petai rhyw loerigrwydd wedi'i tharo. Byddwn yn edrych ymlaen yn eiddgar am i'r ffôn ganu er mwyn cael gweld rhediad rhyfeddol Kathleen!

Roedd ganddi gariad, mae'n debyg, a chyn bo hir daeth i sylw Mam bod Kathleen yn feichiog ac yn teimlo'n falch dros ben am hynny, wir. Yn un o lythyron Mam at ei brawd, fy Yncl Joe, meddai,

'I asked her if they were going to get married, and she said, "Oh yes! . . . sometime." She seems very lackadaisical about the whole business, and does not seem to be saving any money! She's due about June, so will probably work until about April. I must try and find someone else then.'

Aeth Kathleen i fyw'n hapus braf gyda'i gŵr newydd mewn carafán yn ymyl afon Banwy.

Mrs Roberts ddaeth i roi help llaw wedyn – gweddw yn ei phumdegau â mymryn o gefn crwb, ac a drigai'r drws nesa yn Bryn Glas. Edrychai'n fythol hen trwy fy llygaid plentynnaidd i. Y prif reswm am hynny, mae'n siŵr, oedd y ffaith nad oedd ganddi'r un dant yn ei phen, ac am ryw reswm nid oedd wedi ffwdanu cael dannedd gosod i wella rhywfaint ar y sefyllfa. Gwraig fach garedig dros ben oedd y 'ddynes fech' – yr enw roddyd arni gynnon ni, blant, am resymau amlwg – ac mi roeddan ni'n meddwl y byd ohoni. Anti Amy fyddwn i'n ei galw hi yn ei hwyneb, wrh gwrs, ac roedd ei phrysurdeb a'i hegni'n chwedlonol.

Un o swydd Henffordd oedd Mrs Roberts ac roedd ei hacen hyfryd yn peri cryn dipyn o chwerthin i Lloyd a finne. Nodwedd amlycaf ei hacen oedd y ffordd y byddai'n rhoi 'h' o flaen pob llafariad. Er enghraifft: 'I got some lovely heggs from Harwyn.' Neu: 'Hour Glyn [ei mab] 'as just joined the Hay Hay.' Mudiad moduro'r AA oedd hwnnw!

Casglu coed wrth fynd am dro oedd ei hoff bleser mewn bywyd a byddwn inne wrth fy modd yn mynd efo hi o gwmpas y caeau, gan lenwi mreichiau â brigau a changhennau i'r tân. A deud y gwir, dwi'n dal wrth fy modd yn llusgo rhyw gòg o bren adre pan a' i am dro! Roedd hi wrth ei bodd yn gwrando arna i'n canu'r piano, a byddai'n gofyn i mi chwarae tra byddai'n glanhau'r tŷ neu'n c'nau'r brasys.

'Www . . . lovely,' byddai'n ebychu'n llesmeiriol.

Roedd 'na rywbeth hyfryd o ddiniwed amdani a byddai ambell stori'n gneud i mi wenu'n llydan. Taerodd wrtha i yn gwbwl ddidwyll ryw dro nad oedd ganddi syniad sut y beichiogodd hi â'i mab, Glyn. Byddai bob amser yn cyfeirio at ei gŵr wrth ei enw llawn, ac meddai,

'I'm tellin' you, Evan Roberts didn't do anything to me, so I've no hidea 'ow I got in the family way.'

'Do you think maybe you were asleep, then?' meddwn inne'n ddiniwed.

'Well, I must 'ave bin!'

Un o boenau bywyd Mrs Roberts oedd ei chymdogion, a wnaeth fywyd yn anodd iawn iddi am lawer o flynyddoedd. Hen lol annifyr megis cnocio parhaus ar y waliau tenau, taflu dŵr ati a thaflu cerrig i'r ardd – gweithredoedd digon tila ar y cyfan ond a barodd gryn anhapusrwydd iddi. Nid Mrs Roberts oedd y gynta na'r ola i gael y fath driniaeth, a bu ymddygiad y cymdogion hyn yn ddiarhebol am flynyddoedd lawer. Y stori fwya anhygoel, efallai, sydd bellach yn chwedlonol, oedd yr hanes amdanynt yn chwarae'r gân enwog honno 'Claddu'r Mochyn Du' ffwl blast ar hen gramoffon y tu allan i ffenest y trigolion drws nesa, a hynny ar drothwy claddu'r hen ddyn!

Mae llinach deuluol y cymdogion trafferthus hyn yn ddiddorol dros ben gan eu bod yn perthyn yn uniongyrchol i Moses Cynjar, sef dyn hysbys y dyffryn. Trigai 'rhen Moses ddiwedd y bedwaredd ganrif ar bymtheg a dechrau'r ugeinfed yn uchel uwchben Dyffryn Banw, mewn bwthyn bach mynyddig o'r enw Penmynydd ar y ffordd i Lyn Gynwdden. Un o dri annedd o fewn cyrraedd dau gae i'w gilydd oedd y bwthyn, a byddai trigolion ofergoelus y dyffryn cyfan yn mynd at Moses Cynjar gydag unrhyw broblemau rhyfedd na fedrent mo'u datrys.

Un tro daeth un o'i gymdogion ato i ofyn cyngor oherwydd nad oedd gwartheg ei ffarm yn cynhyrchu llawer o laeth, a hynny pan oedd gwartheg Moses i'w gweld yn cynhyrchu digonedd o laeth, o ystyried faint o fenyn roedd o'n llwyddo i'w werthu yn siop y pentref. Aeth yr hen Moses i'w barlwr i astudio'i lyfr mawr hud a phori drosto'n ddwys. Rhoddodd ryw gyngor neu'i gilydd i'r ffarmwr (ac efallai swyn fechan), cymryd coron am ei drafferth a'i anfon ar ei hynt. Daeth i'r amlwg yn fuan wedyn mai Moses ei hun oedd yn mynd allan yng nghanol nos i odro gwartheg ei gymdogion, a'u gadael yn hysb o laeth erbyn y bore!

Enw ei ferch oedd Mared a daethant i fyw yn nes at y pentref, i'r ffarm y drws nesa i'r Gardden, sef Penrhos Ucha. Cafodd Mared fachgen bach o'r enw Heber ac ef oedd trysor ei bywyd. Pan ddaeth yn amser i Heber ddechrau yn yr ysgol daeth Mared draw at Jane yn y Gardden a gofyn iddi sicrhau bod Magi, y ferch hyna, a'i chwaer Prudence yn cadw llygad ar yr hen gòg bech ar ei ddiwrnod cynta yn yr ysgol.

Fel unig blentyn, roedd Heber bach wedi cael ei faldodi braidd ac wedi mwydro Prudence a Magi yn rhacs drwy'r dydd, er mawr flinder i'r ddwy. Mae'n rhaid nad oeddynt wedi'i warchod yn ddigon gofalus gan iddo gael cweir go hegar gan un o gogie drwg yr ysgol, sef Jac Coliar. Ar y ffordd adre ddiwedd y dydd aeth Heber i sefyll uwchben y nant a lifai i lawr o'r boncyn a bygwth neidio i mewn i honno fel cosb i Priw a Magi am eu dihidrwydd.

'Dwi'n mynd i neidio mewn a boddi fy hun!' meddai'n ddramatig. 'Ac arnach chi fydd y bai!'

'Duw, ty'd i mi helpu ti, fachgien,' medde Magi, a hwthio'r còg bach i ganol y dŵr bas!

Rhedodd Heber adre'n wlyb domen a chwyno'n ddagreuol wrth ei fam bod Magi a Priw wedi bod yn 'giês' wrtho! Dychmygaf lun bendigedig wedyn o Mared yn brasgamu ar draws y ddau gae i'r Gardden yn bopty coch ac yn sgyrnygu dannedd. Pwy feiddiodd hwthio'i Heber bach hi i'r nant a fynte ar ei ddiwrnod cynta yn yr ysgol? Rhuthrodd drwy wicied fach y Gardden yn sgrechian bygythiadau ar dop ei llais. Rhewodd Priw a Magi oedd yn chwarae'r tu allan, a dechrau rhoi'r bai y naill ar y llall. Erbyn hyn roedd y gynddaredd wedi cael y gore go iawn ar Mared a neidiodd ar ben Anti Magi a dechrau'i chrogi. Neidiodd Prudence ar ei chefn hithau a phwnio'i chefn yn galed wrth geisio achub ei chwaer fawr. Ond doedd dim yn tycio, a neidiodd oddi ar ei chefn a rhedeg i'r tŷ gan sgrechian:

'Mam, Mam, mae Mared yn crogi Magi!'

Erbyn hyn, roedd Anti Magi'n swp diymadferth ar y llawr a Mared yn dal i ruo uwch ei phen. Rhuthrodd Jane allan o'r tŷ dan sgrechian a throdd Mared ar ei sawdl a brasgamu'n ôl i Benrhos Ucha.

Mae'n debyg i'r heddlu gael eu galw'r noson honno i geisio tawelu'r dyfroedd, ac er i Magi ddod ati ei hun yn o handi wedi'r ymosodiad, dychmygaf iddi osgoi Heber bach fel y pla o'r diwrnod hwnnw mlaen!

Daeth bywyd fy annwyl Mrs Roberts i ddiwedd heddychlon, yn ôl ei haeddiant, yng ngofal tyner ei mab Glyn, ei wraig Vera a'u plant, a chollwyd cymeriad annwyl a lliwgar dros ben.

Ymhen hir a hwyr symudodd Mam o'r ysbyty yn y Trallwm i fod yn nyrs ardal. Rhoddai hyn fwy o amser iddi'n magu ni, blant, a daeth bywyd rywfaint yn haws. Yn amal iawn byddwn yn mynd efo Mam ar ei rownds, ac mae gennyf atgofion melys iawn am gymeriadau hoffus yr ardal.

Cofiaf un tro i mi fynd gyda hi adeg y Nadolig i ffarm yn Cefn Coch. Byddai'n mynd i'r cartref arbennig hwn bob mis i roi pigiad i ŵr y tŷ oedd â *pernicious anaemia*. Roedd Mam wrth ei bodd yn esbonio i mi yn y car beth oedd y dasg o'n blaenau, gan ddisgrifio'n fanwl beth oedd yn bod ar y claf. Felly, a finne'n bedair oed, ro'n i'n gwbod yn iawn sut i ddeud a sillafu *pernicious anaemia*.

Gan ei bod hi'n adeg Nadolig, roedd pawb mewn hwyliau dathlu. Cofiaf gerdded i mewn i gegin y ffarm a honno'n dywyll fel bol buwch. Ond roedd yr awyrgylch yn gynnes a chlyd ac anferth o dân yn rhuo yn y grât fawr, a hen ŵr y tŷ yn torchi llewys ei grys yn barod ar gyfer ei 'boost' misol, a'r sgwrsio'n llawn chwerthin a thynnu coes.

Yna'n sydyn, allan o nunlle, dyma glamp o botel sieri'n glanio'n swnllyd ar fwrdd y gegin, ynghyd â dau wydr – un yn dymblar a'r llall yn wydr bach deliciet *cut glass*. Yn naturiol ddigon tybiai Mam y byddai gwraig y tŷ'n llenwi'r tymblar â diod oren neu laeth i mi, ond ar ôl llenwi'r gwydr bach deliciet i'r top dyma lenwi'r tymblar â joch sylweddol o'r sieri a'i roi o mlaen i gan ddatgan yn llon,

"Se'n well i'r fech giêl dropyn hefyd!'

Cyn i Mam gael cyfle i wrthwynebu, i lawr y lôn goch yr aeth y sieri, a finne'n llyfu ngweflau yn o sgeler!

'Mmm . . .' medde fi'n ddwys. 'Neis!'

Bonllefau o chwerthin unwaith eto wrth i bawb ddymuno 'Nadolig Llawen' i'w gilydd. Ar y ffordd adre, mae'n debyg fy mod wedi meddwi'n rhol ac yn rhowlio o gwmpas y sedd gefn yn cianu ar dop fy llais!

Un o hoff gleifion fy Mam oedd gŵr bonheddig ei dras o'r enw Everest. Dwn 'im ai dyna oedd enw iawn yr hen ŵr ai peidio ond roedd yn byw mewn tŷ oedd yn llawn trugareddau a chreiriau diddorol. Byddai Mam yn mynd yno'n gyson i roi 'blanket bath' iddo a byddwn inne'n crwydro'r coridorau tywyll yn edrych ar y darluniau diddorol ar y waliau.

Un noson daeth neges fod Everest wedi marw a synhwyres fod Mam yn teimlo'n drist reit. Es ar fy union i'm llofft a mynd ar fy ngliniau wrth erchwyn y gwely a gweddïo drosto. Cofiaf ofyn yn daer i Dduw edrych ar ôl Everest, gan fy mod newydd glywed ei fod o ar y ffordd i fyny!

Ces brofiad arall o farwolaeth ar yr anturiaethau fyrdd yma gyda Mam. Roedd hi newydd dderbyn neges fod hen wraig leol wedi marw a bod yn rhaid iddi fynd i'r tŷ i gadarnhau ei marwolaeth.

'Ty'd o'na, gei di ddod efo fi,' medde hi.

Ar ôl cyrraedd yno roedd yr awyrgylch yn heddychlon, a chawsom wybod gan ferch yr hen wraig ei bod wedi marw'n dawel yn ei chadair yn yr ystafell fyw a'i theulu o'i chwmpas. Roeddynt wedi symud ei chorff i'w gwely ac yno y gorweddai. Trodd Mam ata i a gofyn yn ddi-ddrama reit a oeddwn i isio gweld corff marw'r hen wraig?

'Yndw!' medde fi heb feddwl ddwywaith! Gofynnodd Mam i'r teulu a oedd yn iawn ganddyn nhw fy mod yn mynd i mewn i'r llofft. Oedd siŵr, ac i mewn â ni yn dawel.

Gorweddai'r hen wraig fel delw alabaster o fy mlaen, ac edrychai'n hynod brydferth.

'Tisio'i chyffwrdd hi?' gofynnodd Mam.

Yn ysgafn, rhois fy llaw ar ei thalcen a theimlo'r croen fel clai o dan fy mysedd bach. Doedd gen i ddim ofn o gwbwl, ac a deud y gwir roedd yr holl brofiad yn un rhyfeddol o naturiol rywsut. Wyth oed o'n i!

Mi ges i'r fraint o weld genedigaeth yn ogystal yn ystod y cyfnod euraid hwn. Fel un o fydwragedd y practis yn Llanfair roedd Mam yn dipyn o ffefryn a doedd neb ond 'Sister' yn gneud y tro gan lawer. Cafodd neges rywdro bod gwraig wedi cael ei rhuthro i Ysbyty'r Trallwm i gael ei phumed plentyn a doedd neb yn cael ymyrryd â'r geni ond Sister James. Ro'n i'n digwydd bod yng nghwmni Mam pan gafodd y neges, ac i ffwrdd â ni i'r ysbyty a'n gwynt yn ein dwrn. Ro'n i wedi paratoi fy hun at gyfnod diflas iawn yn un o ystafelloedd aros yr ysbyty pan biciodd Mam ei phen rownd ochor y drws.

'Tisio dod i weld babi'n cael ei eni? Mae'r fam 'di deud bod o'n iawn.'

Cerddes i mewn i'r ystafell eni ac i awyrgylch dawel braf. Eisteddes ar gadair fach yn y gornel â 'golygfa dda', fel petai, o'r hyn oedd ar fin digwydd. Roedd y profiad mor groes i'r hyn mae pawb wedi arfer ei weld ar y teledu – dim sgrechian afreolus, dim gweiddi, dim ond lot fawr o ymdrech a sŵn tuchan uchel! Gyda Mam yn annog y wraig, daeth pen bach â thwr o wallt du i'r golwg; yna, ag un floedd orfoleddus gwthiwyd y babi bach i'r byd fel slywen fach lithrig. Roeddwn yn syfrdan, ac er mor ifanc o'n i ar y pryd (deuddeg oed, dwi'n meddwl) roeddwn yn ymwybodol iawn o'r fraint o fod yn dyst i'r fath wyrth.

Byddwn hefyd yn cael mynd gyda Mam i'r syrjeri yn Llanfair Caereinion i helpu gyda'i sesiynau bydwraig.

'Come and test the urines for me,' fyddai hi'n ddeud – a finne wrth fy modd! Dyna lle byddwn i'n dipio strips bach lliwgar i mewn i jariau jam neu boteli soda yn llawn pi-pi, ac yna'n astudio'r lliwiau'n fanwl cyn eu dangos i Mam i gael ei barn. Fedrwch chi ddim dychmygu'r fath beth yn digwydd y dyddiau hyn, fedrwch chi – diolch i'r drefn! Ond roedd yr holl beth yn teimlo'n hollol dderbyniol ac ni chwynodd neb fy mod yn bresennol yn y syrjeris yma.

Roedd ystafell y staff yn des o fwg ffags amser paned ac yn lle gwych i fod ynddo wrth i'r nyrsys a'r staff rannu straeon a hel clecs. Roedd y sgyrsiau'n amal yn hynod o ddoniol ac yn anaddas iawn i glustiau lodes ifanc, ond ro'n i ar ben fy nigon! Mae'r pictiwr yn dal yn glir yn fy mhen o ystafell aros y syrjeri'n llawn o gleifion mud, a sŵn chwerthin iach yn dŵad o'r stafell baned. Paneidiau'n cael eu gosod yn swnllyd yn y sinc ar ddiwedd y 'break', ac yna pawb allan mewn rhes a hynny mewn pwff mawr o fwg sigaréts. Tydi'r byd wedi newid, dwch? Ond roedd y gofal yn glodwiw a'r meddygon a'r nyrsys yn nabod pob un o'u cleifion yn dda.

Roedd agwedd 'matter of fact' a chwbl agored Mam at bob rhan o fywyd yn rhywbeth rwyf bellach yn wirioneddol falch ohono. Agorwyd fy llygaid i lawer o bethau rhyfeddol yr hen fyd yma, a hynny o oedran ifanc iawn. Châi'r un pwnc ei osgoi, a gwyddwn y gallwn ofyn unrhyw beth unrhyw bryd iddi heb ofni mod i'n gofyn rhywbeth gwirion. Chafodd y gair 'Pam?' erioed ei ateb efo 'Bydd ddistaw,' a bellach rwy'n ceisio bod yr un mor onest gyda fy mhlant fy hun.

Doedd Dad ddim cweit mor agored ag roedd Mam. Rhyw ddiwrnod landiodd dyn yr AI i 'ymweld' â'r gwartheg a gadwai Dad ym meudy Bryntanat. Ar y pryd doedd gen i ddim syniad be oedd ystyr AI, a phan atebes y drws i ddyn bach mewn *overalls* gwyn yn gofyn am Dad, rhaid oedd gofyn 'Be 'di AI 'te, Dad?' Dechreuodd hwnnw shyfflo'n anghyfforddus o un droed i'r llall, cyn deud yn ddistaw reit:

'Ym . . . *vet*. Un o'r gwartheg yn . . . ym . . . yn sâl.'

Es i at Mam wedyn a gofyn yr un cwestiwn. Chwerthin yn iach wnaeth hi wrth esbonio'n fanwl hynt a helynt y tarw potel i mi. Wedi'r cwbl, ro'n i'n bymtheg oed! Druan o Dad.

Ond doedd dim byd yn embarasio Mam. Pan o'n i'n chwech oed dechreues ofyn cwestiynau am fabis ac o ble roedden nhw'n dŵad ac yn y blaen. Heb feddwl ddwywaith, dyma afael mewn beiro a dechrau tynnu lluniau ar hyd ei phaced sigaréts Players *un-tipped*! Llun o'r groth, sbyrms, 'pidli-wincs' (fel y bydden ni, blant, yn galw'r 'down-belows') – yn wir, llun bach taclus o bob dim yn ymwneud â rhyw.

Mae gen i gof o deithio i'r Trallwm yn y car efo Mam a gofyn eto ynglŷn â rhyw fanylyn nad oeddwn i prin wedi'i ddeall. Atebodd Mam yn glir, wrth gwrs, yn ei ffordd ddihafal ei hun, ond cofiaf syllu trwy'r ffenest a meddwl,

'Hmm . . . dwi'n gwbod sut, ond fedra i jest ddim deall *pam* fase rhywun isio gneud y fath beth ych-a-fi! A, wel! Mi ddo i i ddallt ryw ddiwrnod, ma siŵr.'

Un pnawn glawog aeth Mam ati i ddisgrifio'r misglwyf a'i bwrpas biolegol. Ar ôl disgrifio be oedd yn digwydd, ymbalfalodd am sefyllfa debyg yn ein bywyd bob dydd er mwyn trio symleiddio pethe i mi.

'Ti'n gw'bod fel ma Mam a Dad yn gneud Bed & Breakfast i bobol ddiarth, ac yn hwfro a glanhau bob tro mae rhywun yn gadael, yn barod ar gyfer unrhyw fisitors newydd? Wel, mae'r groth rywbeth tebyg – mae hi'n glanhau ei hun o waed bob dau ddeg wyth diwrnod, yn barod ar gyfer y fisitors.'

Ni ddaliai'n ôl rhag y syniad o 'fwynhau' rhyw chwaith. Un peth oedd deall yr ochor ffisiolegol i bethau ond ni fyddai Mam yn swil o drafod pethau amgenach na'r 'ins an' outs', fel petai!

'I don't want you to go through life without having had an orgasm!' medde hi wrtha i'n swta reit ryw noson pan o'n i'n ddwy ar bymtheg oed ac yn gwylio'r teledu.

'Ooo, Mam!' meddwn i, gan ochneidio'n ddifynedd. 'Be ddeudi di nesa, dwêd?'

'No, I mean it, Siân!'

Mam go unigryw oedd 'rhen Madge!

Dylanwadau a dechrau perfformio

Tair oed o'n i pan ges i mhrofiad cynta o fod o flaen cynulleidfa. Eisteddfod y Foel oedd yr achlysur, a Lloyd a finne ar y llwyfan yn barod ar gyfer y gystadleuaeth adrodd. Roedd Lloyd yn dipyn o giamstar ar lefaru ac yn hen law ar y busnes cystadlu 'ma, ac ar ôl iddo adrodd ei ddarn, dyma nhro inne'n dod. Tywysodd yr arweinydd fi'n dyner i flaen y llwyfan, ond â golwg ofnus a blin ar fy wyneb, gwrthodes yngan gair. Ton o 'O-o-o's wedyn trwy'r gynulleidfa, a'r arweinydd yn ceisio fy annog i agor fy ngheg. Dim smic, dim ond golwg uffernol o bwdlyd ar fy wyneb! O'r diwedd daeth fy annwyl frawd i geisio mherswadio i adrodd fy mhwt. Mae'n siŵr bod y cradur erbyn hyn wedi'i embarasio'n llwyr, a hen Neuadd y Foel dan ei sang o eisteddfodwyr brwd yr ardal, i gyd yn eiddgar i glywed beth oedd gen lodes Sister James i'w gynnig.

'Ty'd o'na. G'na fo 'wan.'

Edryches i'w lygaid bach caredig ac yna fel petai'r diafol ei hun wedi cael gafael arna i dyma fi'n rhoi clamp o 'left hook' iddo, reit ar flaen ei drwyn. A Lloyd yn ymlwybro'n ôl i'w sêt yn gafael yn dynn yn ei drwyn, adroddes y darn – a hynny fel llinyn trwy dwll, chwedl fy mam. Yn naturiol ddigon, ches i mo'r wobr, er bod Lloyd yn sicr yn haeddu gwobr arbennig am ei ddewrder yn wyneb y fath drais!

Ond mae'n amlwg na lwyddod hyn i nhroi i yn erbyn y syniad o gystadlu, ac am flynyddoedd wedyn – yn wir, trwy gydol fy mhlentyndod a than o'n i'n ddeunaw – âi Mam â fi i gystadlu mewn eisteddfodau mawr a bach ar hyd a lled y wlad.

Cyfnither fy nhad, sef Anti Dwynwen, fyddai'n dysgu cerdd dant i mi; Anti Irene, Gartherfyl, ac Anti Marcia fyddai'n mynd dros unrhyw ganu unawdol, ond Mam fyddai'n dysgu adrodd i mi – a'r smantie priodol!

Cynyddodd fy hyder, mae'n debyg, pan ddechreues ennill gwobrau, a diolch i drwytho fy mam, daeth ennill arian a chwpanau bob dydd Sadwrn yn rhan annatod o fy mywyd. Tydw i ddim yn cofio 'laru fel y cyfryw, er bod yr ymarfer cyson yn mynd yn fwrn arna i weithiau. Y drefn oedd sefyll ar ben y bwrdd fformeica coch yn y gegin i adrodd neu ganu, a Mam yn gneud stumiau o mlaen i fel dynes loerig. Y peth gwaethaf oll oedd gorfod mynd trwy'r ddefod hon pan fyddai ymwelwyr yn dod i'r tŷ.

'Ty'laen 'wan, fyny â ti i ben bwrdd i adrodd "Y Draenog". Da lodes!'

A finne fel rhyw fwnci syrcas yn gorfod neidio i ben y bwrdd ac adrodd y bali peth yn ddi-gŵyn. A hynny'n llawn bywyd a drama, wrth gwrs, ac nid ffor' 'gosa (rywsut-rywsut) fel roedd yr awydd, siŵr o fod! Erbyn hyn, wrth gwrs, gwelaf mai Mam oedd yn iawn wedi'r cyfan a bod ymarfer yn dyngedfennol i lwyddiant unrhyw dasg. Gall unigolyn gael llond trol o dalent ond heb yr ymarfer a syniad o gyfeiriad neu ddreif, mae'r dasg o lwyddo yn llawer anoddach.

Er i mi led fwynhau'r profiadau eisteddfodol (roedd dod adre efo rhyw gwpan fach arian sgleiniog neu ugain punt yn fy mhoced yn rhywbeth oedd yn plesio'n arw, wrth gwrs!), mi o'n i'n gallu mynd yn nerfus iawn cyn cystadlu. Dim bob tro, ond weithiau. Mae hyn yn digwydd hyd heddiw, a deud y gwir, ac yn medru bod yn dipyn o felltith arna i. Does dim patrwm, fel y cyfryw – cynulleidfa fawr neu fach, gall yr ofn ddŵad mewn hen don afiach o deimladau afresymol sydd yn bendant yn effeithio ar fy mherfformiad. Gwn mai diffyg hyder ydi o yn y bôn; os ydw i'n ddigon hyderus yn yr hyn dwi'n neud, mae'r ofn yn pylu, ond os nad ydw i wedi paratoi'n ddigonol, wedyn lwc owt! Mae'r gynulleidfa'n ffactor dyngedfennol heb os. Mae'n gweithio'r ddwy ffordd: gall cynulleidfa eich sugno'n hysb o egni weithiau a'ch godro o bob hyder, ac ar y llaw arall gall cynulleidfa frwdfrydig eich argyhoeddi bod unrhyw beth yn bosibl. Mae'r teimlad hwnnw'n un o'r teimladau brafia sydd! Wrth gwrs, o'r meddwl y daw hyn i gyd. Hen bethe digon ansicr yw artistiaid yn y bôn, yntê?!

O dipyn i beth daeth y syniad o ddysgu offeryn i'r amlwg. Mi fues i'n mwydro Mam i ddysgu'r piano i mi o oedran ifanc iawn, a phan ddaeth fy mhen-blwydd yn chwech oed penderfynodd Mam y byddai'n gofyn i'r athrawes biano leol, Mrs Price, a fyddwn i'n cael cychwyn efo hi. Gwrthododd Mrs Price yn wreiddiol gan ddeud mai saith oed oedd y cynhara yr oedd hi'n fodlon ystyried dechrau disgyblion, ond ar ôl cryn berswâd ar ran fy mam, a gweld drosti'i hun pa mor awyddus o'n i, cytunodd i'm dysgu. Ro'n i wrth fy modd ac agorwyd drws artistig i mi trwy gyfrwng y piano. Yn fuan iawn, dechreues gyfansoddi (neu 'ffidlan', fel ro'n i'n ei ddisgrifio), a llifai alawon bach syml allan o mhen i'n ddi-stop.

Aeth Mrs Price â mi trwy arholiadau'r Associated Board fel pawb arall tan i mi gyrraedd Gradd 5, a bu'r profiad o fod yn ei chwmni'n un hwyliog a phleserus.

Miss Hamer Edwards aeth â mi hyd at Radd 8, yn ystod cyfnod yr ysgol uwchradd. Athrawes drwyadl dros ben oedd Miss Edwards, ac roeddwn yn hynod hoff ohoni hithau. A deud y gwir, bûm yn aruthrol o ffodus gyda phob athrawes ac athro ges i, ac rwy'n hynod ddiolchgar a dyledus iddynt oll.

Trigai Mrs Price mewn tŷ bach o'r enw Llety Piod yn ymyl y ffordd a redai drwy bentref y Foel, a'i gŵr oedd yn ffarmio'r tir y tu ôl i'r tŷ. Un noson, a minne'n cyrraedd ar gyfer fy ngwers arferol, daeth Mr Price o'r cefn i ddeud bod ganddo ddafad yn sâl, ac yn cael trafferth rhoi genedigaeth i oen bach. Roedd Mam yn alluog iawn pan oedd hi'n dod i dynnu oen – er bod yr holl weithred yn wahanol i ddynes yn geni, wrth gwrs, ond roedd y ffermwyr lleol yn dueddol o gymryd yn ganiataol bod Mam yn giamstar ar dynnu oen oherwydd ei galwedigaeth! Felly, tra o'n i'n bwrw iddi efo'r 'scales' a'r 'arpeggios', roedd Mam yn y beudy cefn â'i llaw i fyny pen-ôl dafad.

Pan ddaeth y wers i ben, rhaid oedd mynd i weld yr oen bach. Mi ges i sioc farwol pan weles i'r hyn oedd o mlaen i! Yn gorwedd yn ddifywyd ar y gwellt roedd creadur bach diarth yr olwg. Un pen a dwy goes flaen ac yna o'r bogel i lawr, ddau gorff annibynnol. Hynny yw, efeilliaid o'r cynffonnau i fyny hyd at hanner eu cyrff, ac yna oen sengl o fan'no i fyny!

Daeth yr arfer i ffermwyr bicio heibio Bryntanat efo dafad sâl yn rhywbeth cyffredin iawn. Gan amla, byddai hen ffarmwr lleol yn cnocio ar ddrws ffrynt y tŷ, ei giap yn giam a'i wyneb yn llwyd, i ddatgan yn ofidus,

'Dwi 'di trio popeth, Sister. Fedrwch chi helpu?' Ac allan â Mam i gael golwg ar yr anifail gan fy anfon inne i lenwi bowlen golchi llestri efo dŵr cynnes a Fairy Liquid yn barod ar gyfer y driniaeth. Naw gwaith allan o ddeg byddai Mam yn llwyddiannus, a minne'n eithriadol falch o fy mam ddawnus. Mi fues inne'n troi fy llaw at dynnu oen ambell waith hefyd ond doeddwn i ddim mor naturiol yn y job ag oedd Mam.

Yn saith oed mi ges i gyfle i ddysgu canu'r ffidil. Roedd Mam yn dipyn o chwaraewraig a chofiaf hi'n codi fy ffidil ambell waith a chanu rhyw alaw neu'i gilydd. Mae cyfeiriad yn un o lythyron Nain Sowth at Tad-cu at fy mam yn cymryd rhan mewn cyngerdd yn yr ysgol yng Nghasnewydd, a'i hathro ffidil yn deud wrth Nain bod gan ei merch ddawn amlwg ac y dylid ei hannog i gario mlaen. Roedd hi'n gwbwl naturiol, felly, bod Mam yn awyddus i minne gael tro ar ddysgu'r offeryn.

Mr Jackson oedd enw fy athro ffidil a byddwn yn trafaelio gyda dyrnaid o blant eraill o Ysgol Llanerfyl i Ysgol Gynradd Llanfair Caereinion i gael fy nysgu. Byddwn yn cael gwersi ar y cyd efo merch un o ddoctoriaid y practis lleol, sef Dr Hughes. Gwenllian oedd ei henw ac roedd hi'n dipyn o gymeriad. Roedd ganddi nam ar ei chlun a fu'n her iddi gydol ei hoes, ond roedd ei chymeriad heulog wastad yn fy rhyfeddu a daethom yn ffrindiau da, ac fe barodd y cyfeillgarwch trwy holl gyfnod yr ysgol uwchradd.

Ond fues i erioed yn gythgiam o hoff o'r ffidil! Dwn 'im be oedd, ond ro'n i'n rhyw dueddol o sefyll yn gam a sticio mol allan yn hurt wrth chwarae. Doedd yr hen law chwith byth yn y lle iawn gen i chwaith, a'r dasg o greu *vibrato* yn fwrn, heb sôn am y methiant llwyr i goncro'r 'positions'! Felly, es i rioed heibio'r sŵn hen nadu ciathod, a deud y gwir! Pan fyddwn i'n cael llond bol, byddwn yn taro'r ffidil ar fy nglin ac yn ei chwarae fel sielo, a darganfod bod gneud *vibrato* yn llawer haws ar fy nglin nac i fyny wrth fy ngwddw!

Telyn oedd y syniad nesa gafodd Mam, ac roedd y syniad yma'n fy mhlesio'n arw! Wedi iddi neud y penderfyniad, rhaid wedyn oedd dod o hyd i'r arian o rywle i brynu un. Nid mater bach oedd hyn gan fod arian 'bach yn brin. Ynghlwm wrth erddi Bryntanat roedd ambell gyfer o dir yn ymestyn i lawr at y nant a lifai o Fynydd y Drum. Roedd Dad wedi plannu coed Nadolig ar y caeau hyn gyda'r bwriad o'u meithrin a'u gwerthu yn y marchnadoedd lleol pan dyfent yn ddigon tal. A dyna wnaethpwyd, a phan ddaeth yr amser i werthu, aeth Dad a mrawd i'r marchnadoedd lleol a'u gwerthu am bunt yr un! Yna, a'r targed ariannol wedi'i gyrraedd, aeth Mam a Ffranses Môn Jones, fy narpar athrawes telyn, i lawr i siop Salvi yn Llundain i brynu'r delyn.

Tipyn o bantomein fu'r ymweliad, mae'n debyg, a Mam a Mrs Môn yn cael yr hwyl ryfedda wrth drio dod i benderfyniad pa delyn i'w chael i 'Siani Bwt'. I'r sawl a ŵyr am chwerthiniad unigryw Ffranses Môn, a bonllefau uchel fy Mam, byddai'n hawdd dychmygu'r boi ifanc oedd yn gweini yn y siop yn dychryn am ei fywyd. Rhyw sgrech uchel, gerddorol o chwerthiniad oedd gan y ddwy, a hynny heb unrhyw barch at glustiau bobol gyffredin. Yn wir, byddai chwerthin sgrechlyd Mam yn creu cryn embaras i mi pan o'n i'n fach. Pan fyddem mewn cyngerdd lleol, er enghraifft, a rhywbeth yn ticlo Mam, byddai'n dechrau chwerthin yn afreolus a hwnnw'n sŵn uwch na chwerthin pawb arall. Roedd Mam yn gwbwl anymwybodol o wyneb coch ei merch, oedd yn suddo'n ddwfn yn ei chadair! Wrth gwrs, wedi imi ddod yn hŷn mi ddois i i sylweddoli mai un o rinweddau gwerthfawr ei chymeriad oedd y chwerthiniad unigryw yma, a deuthum i'w drysori'n arw fel y pylai'r chwerthin dros y blynyddoedd.

Ar ôl pendroni a chysidro gofalus, penderfynwyd ar delyn ac iddi'r enw Angelica – stynar o delyn bedwar deg tant mewn pren rhosyn tywyll â thôn fendigedig o fwyn. Aeth Mam at y cownter efo'i handbag, a'i agor yn rhwysgfawr o flaen yr hogyn ifanc.

'How much did you say it was?'

'That'll be £700, madam. Would you like to pay by cheque, Mrs James?'

'Oh no, thank you.' Ar hynny, dyma estyn wàd go hegar o bapurau punt o waelod y bag a dechrau eu cyfri – yr arian a wnaed ar y coed Nadolig, wrth reswm!

'One, two, three, four . . .' meddai Mam yn bwyllog, a llygaid y boi bach bellach jest â phopio allan o'i ben. 'Two hundred and forty, two hundred and forty one . . . no, two hundred and forty three . . . no, hang on . . . Oh, I'm sorry, I'm going to have to start all over again! One, two, three . . .' Chwarter awr dda'n mynd heibio a'r cyfri'n parhau, a Mam a Ffranses erbyn hyn mewn hysterics o chwerthin.

Anghofia i fyth weld yr Angelica am y tro cynta yn y stafell ffrynt yn Bryntanat. Syllais arni'n gegrwth gan feddwl mai hi oedd y peth prydfertha weles i rioed. Roedd ei phren tywyll mor hardd a llyfn, y gyrlan fach gron ar ben y pilar mor gain, a'i hoglau mor unigryw a melys. Byddwn yn eistedd y tu ôl iddi'n daer, fy nwylo'n cyffwrdd y tannau glân a nhrwyn yn dynn wrth ei hysgwydd yn sniffian yn ddwfn. Wel, doedd dim stop arna i wedyn a buan iawn y dechreues chwarae rhyw alawon bach arni. Mae dyfnder fy mherthynas â fy nhelyn wedi bod yn un arbennig ers y diwrnod cynta hwnnw, a bellach mae hi'n rhan annatod ohona i – bron nad yw'n estyniad ohonof, nid yn unig yn gorfforol ond yn eneidiol hefyd!

Un o'r syniadau eraill gafodd Dad a Mam i godi arian oedd cadw ieir dodwy 'deep litter' yn y siediau yn Bryntanat. Cedwid tua dau gant a'r rheiny'n dodwy ffwl sbid, a Dad yn gorfod eu casglu deirgwaith y dydd. Does gen i fawr o gof ohonyn nhw, oherwydd mae'n debyg nad oedden ni, blant, yn cael mynd yn agos atyn nhw oherwydd eu 'nervous disposition'! Cafodd y creaduriaid bach ddiwedd erchyll iawn, mae gen i ofn, diolch i ddau lwynog rheibus a lwyddodd i dorri i mewn i'r sied. Mygu wnaeth y rhan fwya wrth iddyn nhw bentyrru ar gefnau ei gilydd yng nghornel y sied mewn rhyw byramid grotesg wrth geisio dianc rhag dannedd y llwynogod. Felly pharodd y fenter honno ddim yn hir iawn, ac aeth Mam a Dad i ganolbwyntio mwy ar y Gwely a Brecwast.

Cyn i mi symud ymlaen o'r ieir, rhaid adrodd hanes y ceiliog a ddaeth i fyw i gaeau Bryntanat gyda'i *harem* o ieir bach gwyn yn fuan ar ôl i fenter y 'deep litter' ddod i ben. Anferth o geiliog gwyn hardd oedd hwn â chrib llachar mor fawr â'i ego! Ro'n i'n rhyw bump oed, mae'n siŵr, ac yn un oedd yn mwynhau mynd am dro ar ben fy hun bach. Un diwrnod, wrth ymlwybro o gwmpas gerddi maith Bryntanat, mi ddois i wyneb yn wyneb â'r ceiliog a'i wragedd. Stopiodd y cradur yn stond ddeg llath oddi wrtha i a sbio'n herfeiddiol arna i. Roeddwn inne fel petawn i wedi rhewi'n gorn a sefes yno fel taswn i wedi mharlysu. Yn sydyn, heb unrhyw rybudd, dyma fo'n ymosod yn ffyrnig arna i – neidio amdana i a phigo fy wyneb yn ddidrugaredd.

Aeth yr ymosodiad ymlaen am yr hyn a deimlai fel oes, a finne'n sgrechian ar dop 'yn llais. Mae'n rhaid bod Mam wedi clywed y sgrechian achos mi redodd allan o'r tŷ, cydied mewn pastwn a churo'r aderyn druan nes iddo syrthio'n ddiymadferth i'r llawr. Mae'r ofn arteithiol deimles i'n dal ynof yn ddwfn, ac os gwela i geiliog hyd heddiw, hyd yn oed petai hwnnw'n un dof a chlên, mi fydda i'n ail-fyw'r teimladau erchyll brofes i'r diwrnod hwnnw.

Aeth yr ymosodiadau dyddiol yma ymlaen am gyfnod hir. Yn wir, y ddefod arferol i Mam bob bore wrth ffidio'r ieir oedd mynd i lawr i'r cut efo'i bwced llawn hadau yn un llaw a chlamp o bastwn yn y llall, ac wrth i'r ceiliog ymosod (fel y gwnâi bob tro), byddai Mam yn gorfod ei guro'n galed hyd nes y byddai'n cwympo'n swp ar y llawr. Dim ond yn ystod yr eiliadau y byddai'r cradur yn anymwybodol y câi Mam gyfle i daro'r hadau i lawr i'r ieir!

O'r diwedd, a finne erbyn hyn wedi magu ffobia am bali ceiliogod, penderfynwyd cael gwared ar yr aderyn seicotig ac aed â fo i Gyfylche i'w ddienyddio. Yncl Alun oedd y dienyddiwr ac mi es inne i sefyll ar ben y domen i wylio'r weithred. Lawr â'r fwyell a ffwrdd ddoth y pen yn gwmwl o blu gwyn a gwaed. I ginio dydd Sul drannoeth, be ddoth i'r bwrdd ond y ceiliog felltith wedi'i rostio! Mi sbies yn syn ar y cradur oedd wedi peri cymaint o artaith i mi, a cheisio'i fwyta'n ufudd efo'r tatws a'r grefi.

'O'n i'n meddwl 'se ti'n falch o gael ei fyta fo a fynte 'di bod mor giês wrthat ti,' medde Nhad wrth fy ngwylio'n trio gwthio'r fforc i ngheg a'm llygaid yn llawn gofid. Ond sticio'n lwmpyn sych yn fy ngwddw nath o, a finne'n teimlo'n ddagreuol o drist dros y truan.

Roedd y Gwely a Brecwast yn fenter haws, mae'n siŵr, o'i chymharu â maelyd ag ieir a choed Nadolig.

Roedd 'na wastad awyrgylch o gynnwrf wrth i gar diarth gyrraedd ffrynt Bryntanat, a chwpwl neu deulu bach ar eu ffordd i lan y môr yn gobeithio cael lle i gysgu.

Un tro, cyrhaeddodd pâr ifanc oedd newydd briodi'r diwrnod hwnnw, a'u car wedi'i orchuddio â dymuniadau da mewn paent llachar. A finne ond yn bedair oed fedrwn i ddim deall y cynnwrf ar ran Mam a Dad ond llwyddes i ddeall o'r sgwrs ei fod o'n rhywbeth i'w neud efo'r ffaith mai hon fyddai eu 'noson gyntaf' fel pâr priod. (Er, o gofio mai yn y chwedegau roedd hyn, dwi ddim mor siŵr o hynny!) Beth bynnag, y bore wedyn, daeth y cwpwl i lawr i frecwast a finne rywsut wedi cael y syniad yn fy mhen y baswn i'n hoffi rhoi anrheg bach i'r ddau gariad. Dilynes Mam i mewn i'r stafell fwyta (y 'dining room'!) lle roedd hi'n gweini ar y ddau, a thynnu ar lawes y ferch ifanc a rhoi ffrog ddoli ffrili yn ei dwylo.

'Oh, what's this, dear?' gofynnodd hithe'n annwyl.

'It's a dress,' meddwn yn gynhyrfus. 'For the baby!'

Fuo jest i Mam gwmpo'r tebot drosti!

Fe fu'r 'dining room' yn dyst i ddigwyddiad arall go ryfedd rai blynyddoedd yn ddiweddarach. Pan o'n i'n chwech oed, ymunodd Tomos â'r teulu: cwrcath sinsir, hardd iawn, gafodd ei adael wrth y drws cefn. Doedd dim angen llawer o berswâd arnom i'w gadw, a setlodd i mewn i fywyd teuluol Bryntanat yn fuan iawn. Cath gariadus a chwtslyd oedd

Tomos, a fo oedd fy ffrind gorau, gorau yn y byd mawr crwn, tan iddo gael ei ladd gan gar pan o'n i'n un ar ddeg. Byddai'n gwybod yn union pryd fyddwn i'n dod adre o'r ysgol, ac am hanner awr wedi tri bob prynhawn byddai'n deffro o'i drwmgwsg lle bynnag y byddai o, a cherdded tuag at y drws ffrynt i aros amdana i. Finne'n cyrraedd i'r ddefod groeso o swsys a chanu grwndi ac wrth gwrs, lond soser fawr o laeth. Byddwn yn cerdded i bobman efo fo ac yn ei gynnwys yn fy ffantasïau a'm hanturiaethau wrth redeg o gwmpas y caeau a'r coedwigoedd o gwmpas y tŷ. Fyddai Tomos byth yn 'laru ar fy ngêmau plentynnaidd a byddai'n sticio efo fi nes byddai'n amser mynd i'r tŷ. Arwr o gymeriad, a deud y gwir, ac fe dorres fy nghalon yn llwyr pan laddwyd o.

Ddwy neu dair blynedd ar ôl iddo farw, daeth hen gwpwl annwyl i aros dros nos ar eu ffordd i fyny i'r arfordir. Y bore wedyn, amser brecwast, a Mam a finne 'nôl a mlaen o'r gegin i'r 'dining room' wrth weini ar y ddau, meddai'r wraig yn edmygus,

'What a beautiful cat you have.'

'Well . . . we *used* to have a lovely cat but I'm afraid he died a couple of years ago.'

'Oh, I see. Well, this cat was a big ginger tom,' meddai, 'and he came up to us, and walked right round the table purring as he went, and then went back out again.'

'A ginger tom?' gofynnodd Mam wedi'i syfrdanu. 'Are you sure he was ginger?'

'Absolutely sure. What colour was your cat?' gofynnodd wedyn.

'Um . . . ginger.'

'Then I think we've just seen the ghost of your dead cat,'

meddai'n hollol ddigynnwrf, fel petai hynny'r peth mwya naturiol yn y byd!

Un fyddai'n dod i aros yn gyson efo ni pan o'n i'n fach oedd fy Yncl Joe, brawd mawr Mam. Evan Lloyd Jones oedd ei enw llawn, a does genna i'm syniad pam y bydden ni, blant, yn ei alw fo'n Yncl Joe!

Ro'n i'n meddwl y byd ohono: dyn hael a charedig oedd â ffynnon ddofn o amynedd, a byddwn yn edrych ymlaen yn fawr at ei ymweliadau. Roedd gen i ffrind yn fy Yncl Joe a fyddai'n mwynhau dod efo fi a Tomos y gath am dro hir o gwmpas y bryniau a amgylchynai'r pentref. Un o uchaf-bwyntiau'r 'jaunts' bach yma fyddai darganfod nant neu ffos fawnog a dipio'n pennau yn y dŵr rhewllyd, tywyll nes bod y croen yn tinglan. Byddai'n hollol fodlon rhedeg o gwmpas y lawnt yn gweryru fel ceffyl gwedd a finne ar ei gefn yn sgrechian yn uchel. Fo ddysgodd fi sut i neud *handstand*, i sefyll ar fy mhen ac i neud *cartwheels* syth a gosgeiddig, heb sôn am drio cerdded ar fy nwylo! Feistroles i rioed mo'r grefft honno, yn anffodus!

Fel Mam, roedd ei blentyndod wedi bod yn un go anodd a blynyddoedd cynta'i fywyd yn llawn ansicrwydd. Ar ôl bod yn aros fel lojar i bob pwrpas efo cymdogion Nain Sowth yng Nghasnewydd o gyfnod ei arddegau cynnar, ymunodd â'r llynges yn ddwy ar bymtheg oed. Yna, ar ôl ei deithiau dros y môr, aeth i weithio at gwmni mawr yn Llundain fel cyfrifydd, ac yno y bu am flynyddoedd tan iddo ddychwelyd i Lan-non i fyw i'r Barbara ar ôl marwolaeth Nain Sowth a Tad-cu.

Doedd yr hen fyd materol yma ddim yn siwtio Yncl Joe o gwbwl, ac mae'n debyg iddi fod yn her gyson iddo gadw'i swydd gyda'r cwmni cyfrifo yn y ddinas fawr. Methai gyrraedd ei waith mewn pryd yn y boreau, a byddai ei fosys yn ei drin a'i lambastio am fod mor ddi-hid. Ond mae'n debyg bod Yncl Joe yn goblyn o ddyn peniog yn ei faes ac felly, er gwaethaf ei ddiffyg prydlondeb, doedd ei benaethiaid ddim am adael iddo fynd. Mi ddaru nhw hyd yn oed brynu cloc larwm iddo!

Dwi'n amau mai un o'r rhesymau am ei ddihidrwydd oedd y ffaith iddo ddechrau dangos diddordeb mawr yng nghrefydd yr Hindŵ a dechrau astudio yoga. Datblygodd hyn yn rhywbeth tu hwnt o bwysig yn ei fywyd. Byddai'n mynd at *guru* arbennig yn Llundain a fyddai'n cyflwyno athrawiaethau ysbrydol iddo, athrawiaethau y glynodd atynt gydol ei fywyd, a hynny ochr yn ochr â'i Gristnogaeth a'i swydd fel Warden yr Eglwys yn Llan-non. Daeth yn feistr ar Hatha Yoga, ac mae'n debyg iddo gymryd rhan mewn rhyw fath o arddangosfa o ymarferion yoga yn yr Albert Hall rywbryd yn ystod y pumdegau! Yn fy nghasgliad helaeth o lyfrau mae gen i lyfr clawr meddal â llun o Yncl Joe ben i waered yn gneud *headstand* perffaith mewn pâr o shorts bach glas, wrth ochor gwraig ddel iawn mewn rhyw siwt nofio o beth yn gneud safle'r lotys!

Pan fyddai'n dod i ymweld â ni yn Bryntanat byddai'n dŵad â hen recordiau 75 o gerddoriaeth India efo fo, recordiau roedd o wedi'u prynu yn ardal Indiaidd y ddinas, ac yn eu chwarae ar yr hen gramoffon oedd gynnon ni yn y stafell ffrynt. Roeddwn wedi fy hudo'n llwyr gan y lleisiau unigryw a'r offerynnau diarth, a thaeraf fod hyn wedi cael cryn argraff arna i'n gerddorol yn y blynyddoedd dilynol.

Mewn hen gist yn y 'boxroom', cadwai Mam hen ddarnau o ddefnyddiau, ac yn eu plith roedd darn hir o silc gwyrdd

61

a blodau bach drosto. Rywsut neu'i gilydd roeddwn wedi darganfod sut i wisgo sari trwy glymu'r defnydd yn blygiadau o gwmpas fy nghanol, ac yna taflu'r gweddill ohono dros fy ysgwydd chwith. Yna, a'r wisg yn ei lle, paredio o gwmpas y tŷ yn canu mewn llais uchel yn null merched India, a finne wedi nhransportio i'r wlad bellennig honno.

Dyn caredig ond ecsentrig oedd Yncl Joe – gŵr cymhleth yn llawn deuoliaeth a fyddai'n fy hudo a'm cyfareddu â'i sgyrsiau difyr ond, yn nes ymlaen, a finne yn fy arddegau ac yn dechrau cael blas ar ddadlau am bynciau llosg y dydd, yn fy ngwylltio â'i agweddau penstiff tuag at grefydd a gwleidyddiaeth. Roedd Mam ac yntau'n pallan (cega) trwy'r amser am rywbeth neu'i gilydd, a byddai Dad a finne'n amal yn trio cadw'r heddwch rhyngddyn nhw yn ystod eu dadleuon tanbaid.

Tua diwedd ei oes câi lot o boen yn ei gymalau a daeth edrych ar ei ôl ei hun yn fwrn arno. Felly, wedi sgwrs hir ar y ffôn un noson, penderfynodd y byddai'n dod i fyw aton ni yma yn Llanerfyl. Ar ôl iddo dreulio rhywfaint o amser gyda Dad yn Bryntanat (ar ôl i Mam farw), cawsom dŷ bach unllawr iddo yn Llangadfan. Roedd o wrth ei fodd! Cynnes a thwt a glân!

Un o'r pethau oedd flaenllaw yn ei feddwl oedd y ffaith ei fod isio torri'r cysylltiad â Llan-non a'r Barbara. Ar y pryd ro'n i'n methu deall pam.

'I want to divest myself of everything,' meddai'n ddwys ryw bnawn wrth drafod be ddylien ni neud efo'r Barbara a hen greiriau'r teulu. 'Dwi'm isio'r hen greiriau – do'n i *rioed* isio nhw!'

Wrth edrych yn ôl, sylweddolaf mai paratoi ar gyfer ei

farwolaeth yr oedd – ffordd ddihafal Yncl Joe o wynebu'r llwybr anorfod oedd o'i flaen.

Fuodd o rioed yn gonfensiynol ei agwedd at unrhyw beth, hyd yn oed gyflwr ei dŷ! Roedd y teulu oll yn gwybod am gyflwr blêr y Barbara ers blynyddoedd mawr, ac yn wir gwrthodai adael i mi fynd i mewn i'r tŷ pan fyddwn yn picio heibio ar y ffordd 'nôl o ryw gyngerdd neu'i gilydd.

Rwy'n cofio aros dros nos yno unwaith, a hynny pan o'n i'n rhyw bedair oed. Cofiaf orwedd yn y gwely yn y llofft ganol yn edrych draw at oleuadau Aberaeron yn dawnsio ar y gorwel, a meddwl mai hwn oedd y lle mwya hudolus yn y byd i gyd.

Ond ddychmygodd neb o'r teulu y byddai pethe mor ddrwg ag roedden nhw pan aeth fy mrawd a finne i lawr i Lan-non i drio rhoi trefn ar bethe yn y tŷ. Wrth gerdded i mewn trwy'r drws ffrynt roedd bagiau bin llawn yn ymestyn yn uchel at y to. Doedd hi ddim yn bosib cerdded ar hyd y pasej bach i'r cefn oherwydd niferoedd y bagiau. Llanwai'r bagiau'r staer hefyd, heblaw am lwybr bach cul ar hyd ochr dde'r grisiau.

Buan iawn y sylweddolon ni fod yr ysbwriel yn llenwi pob stafell a hynny ar y ddau lawr. Mewn ambell le roedd y llwybr o leia droedfedd i fyny o'r llawr, felly roedd ceisio ymlwybro o gwmpas y tŷ bron yn amhosib. Roedd hen bapurau newydd blith draphlith trwy'r tŷ, rhai'n mynd yn ôl i'r pumdegau. Poteli llaeth ym *mhobman* – gwydr a phlastig – a siâp a chynllun y poteli hynny'n newid dros y degawdau, bron fel snapshot bach difyr o esblygiad y botel laeth! Yn y stafell molchi, roedd y bath yn fynydd bach taclus o boteli llaeth o gyfnod y chwedegau, ac yno hefyd roedd un o lawer o gasgliadau, a hwnnw wedi'i lapio'n ofalus mewn papur newydd, o flew barf a gwallt.

Byddai Yncl Joe yn gwisgo'n drwsiadus bob amser a'i wallt a'i farf hardd fel pìn mewn papur. Byddai'n tocio'i farf â gwellaif ac o'r dystiolaeth oedd ger ein bron, yn cadw'r blewiach yn ofalus mewn parseli bach twt o bapur newydd.

Ar y pwynt yma, yng nghanol y rhyfeddu a'r sioc, y trawodd tristwch y sefyllfa fi fel gordd. Dyma ddyn na chafodd fawr o ofal na chariad yn ystod cyfnod mwya tyngedfennol ei fywyd, a dyma rywsut y dystiolaeth o'r artaith emosiynol hwnnw. Mae'n amlwg nad oedd yn medru cael gwared o unrhyw beth – dim byd o gwbwl, ddim hyd yn oed flew ei farf. Rhwng y dagrau a'r tristwch cawsom ambell bwl o chwerthin afreolus – ond yr emosiwn o falchder oedd amlycaf. Y gwir ydi, faswn i ddim yn newid dim byd amdano: fo oedd fy ewythr annwyl a ddysgodd gymaint i mi. Dyn ecsentrig, clyfar, doniol a 'quirky', ac ro'n i'n ei garu o'n ddi-ben-draw.

Ar ôl ei farwolaeth yn 2001 gwasgarwyd ei lwch ar foncyn y Gardden, yn unol â'i ddymuniad.

Un digwyddiad bach difyr arall yr hoffwn ei rannu efo chi ynglŷn â'r cyfnod anghyfforddus o dwtio'r Barbara oedd dod o hyd i lun go arbennig – llun du a gwyn – oedd yn dangos cynulliad o bobol o oedran cymysg yn eu dillad gorau, y tu allan i glamp o dŷ crand. Mae'r ysgrifen ar waelod y llun yn deud 'Earl and Countess of Lisburne at home Aug 9th 1923'.

Wrth astudio'r llun yn fanylach yng nghwmni Gwyn, fy nghymar, ar ôl dychwelyd adre, sylweddoles pam roedd y llun ym meddiant Yncl Joe. Yn y rhes flaen, yn edrych yn hynod o smart, roedd fy hen fam-gu (sef mam Wil bach, fy nhad-cu).

'Sbia,' medde fi mewn syndod wrth Gwyn. 'Fy hen fam-gu ydi honna fan'na.'

Edrychodd Gwyn yn ofalus ar y llun am funud, ac yna gydag ebychiad meddai,

'Argol! 'Nei di'm coelio hyn, Siani!'

'Be?' meddwn i'n amheus, wrth weld yr olwg syfrdan ar ei wyneb.

'Ti'n gweld yr hen foi efo'r farf wen sy'n sefyll tu ôl iddi?'

'Yndw. Be amdano fo?' meddwn i wedyn.

'Fy hen dad-cu i ydi hwnna!'

Roedden ni'n dau yn anghrediniol! Yno o flaen ein llygaid mewn llun bach amhrisiadwy roedd fy hen fam-gu i a'i hen dad-cu o yn sefyll ochor yn ochor mewn llun a dynnwyd 'nôl yn 1923. Roedd Gwyn a finne wedi sylweddoli'n fuan iawn yn ein perthynas bod ganddon ni'n dau gysylltiad o ran tras â Llan-non – yn wir, roedd Gwyn yn nabod Yncl Joe yn iawn (neu Jones y Barbara, fel y byddai ef yn ei gofio) o'i ymweliadau â'i fam-gu yng Nglandwr, Llan-non. Yn rhyfedd ddigon, byddai hithau'n dwrdio Siôn ei frawd ac yntau am fod yn flêr gyda'u teganau, gan ddeud yn chwyrn,

'Jiw, jiw, fechgyn bach, chi'n wa'th na Jones y Barbara!'

Roedden ni'n dau'n teimlo fel petai ffawd, rywsut, wedi'n taflu at ein gilydd!

Ganwyd fy mrawd yn 1959 – còg bech drygiog efo mop o wallt cyrls coch. Tipyn o rebel oedd Lloyd pan oedd yn blentyn, ffaith a gadwodd Mam a Dad ar flaenau'u traed yn ddyddiol wrth iddynt geisio'i achub rhag rhyw godwm neu anffawd neu'i gilydd. Un chwilfrydig oedd o, heb damaid o ofn unrhyw beth. Ymysg rhai o ddamweiniau ei blentyndod roedd torri'i wefus efo hen dun ffrwythau – mae'r graith yn dal yno heddiw – a sgaldio'i gorff â dŵr berw. Mae'n debyg iddo gydied yn y lliain bwrdd a thynnu'r holl lestri te a'r tebot am ei ben. Aeth y te berwedig dros hanner ucha'i gorff bach dyflwydd oed, ac mae'n debyg i erchylltra'r munudau a ddilynodd aros efo Mam gydol ei hoes. Gwyddai Mam, wrth gwrs, mai'r unig driniaeth oedd ei orchuddio â dŵr oer er mwyn achub ei groen a cheisio lleihau'r creithio a fyddai'n siŵr o ddigwydd. A Lloyd yn sgrechian ar dop ei lais, llanwodd Mam fath o ddŵr oer a'i ddal yno am o leia hanner awr. Dwn i ddim hyd heddiw sut y llwyddodd hi i drochi'i wyneb yn y dŵr heb foddi'r cradur, ond rywsut mi lwyddodd. Er gwaetha'r cymorth cyntaf, datblygodd clamp o swigen fawr ar ei wyneb a ymestynnai i lawr o dan ei ên. Gallwch ddychmygu'r miri wedyn o geisio stopio bachgen bach dyflwydd rhag cyffwrdd y swigen honno, a'r unig ffordd o neud hyn, mae'n debyg, oedd clymu'i ddwylo. Yna, fel roedd y croen yn dechrau adnewyddu ei hun, trio stopio'r un bach rhag crafu. Bu'n gwisgo menig am ei ddwylo am wythnosau, mae'n debyg. Mae'n anodd dychmygu'r uffern a brofodd y ddau yn ystod yr wythnosau hynny.

Ar ôl iddo ddechrau yn Ysgol Llanerfyl, daeth yn amlwg i Mam fod Lloyd yn cael trafferth dysgu darllen. Gwyddai ei fod yn fachgen aruthrol o siarp ond bod ei allu i ddarllen yn achosi cryn ofid iddo. Aeth Mam ati i ymchwilio be allai'r rheswm fod dros ei anhawster i ddarllen, ac ar ôl sgyrsiau ag arbenigwyr di-ri daethpwyd i'r casgliad ei fod yn dioddef o un o'r mathau lleia difrifol o gyflwr dyslecsia, sef 'cross lateralism'. Erbyn heddiw, wrth reswm, mae hyn yn rhywbeth cymharol gyffredin, ac athrawon yn cael eu trwytho i fod o gymorth i'r rhai sy'n dioddef o'r cyflwr. Ond mewn ysgol fach yn y wlad yn ystod y chwedegau, doedd fawr o ddealltwriaeth ohono.

Dwy Mrs Morgan oedd athrawon Ysgol Llanerfyl: Miss Rŵm Fech a Miss Rŵm Fawr. Dwy chwaer-yng-nghyfraith oedden nhw, ac fe roddon nhw flynyddoedd o addysg benigamp i blant y fro. Ond roedd y cyflwr yma'n ddiarth iawn iddyn nhw. Felly, ar ôl cryn dipyn o bendroni, daeth Mam a Dad i'r penderfyniad y dylid anfon y còg i ffwrdd i'r ysgol er mwyn iddo gael gwell cyfle academaidd. Ysgol Abermad oedd y dewis – ysgol breswyl rhwng Llanilar a Llanfarian, ar gyrion Aberystwyth.

Dim ond saith oed oedd Lloyd. A minne'n fam fy hun erbyn hyn, alla i yn fy myw â deall y fath benderfyniad, ac er fy mod wedi trio ngore i roi fy hun yn sgidie'r ddau, dwi'n dal yn methu amgyffred anfon hogyn bach mor ifanc i ganol dieithriaid.

Yn ystod Eisteddfod yr Urdd yn Llannerch Aeron yn lled ddiweddar, mi bicies draw i'r hen ysgol a hynny yng nghwmni fy mab ieuengaf, Llywelyn. Ro'n i isio iddo fo weld lle'r aeth ei Yncl Lloyd i'r ysgol, a hynny pan oedd o 'run oed â Llywelyn. Mae'r ysgol bellach yn gartref henoed, a gwelwn fod y coed a gofiaf yn amgylchynu'r hen le wedi'u clirio. Gyrres i lawr yr wtra, ac yn gwbwl annisgwyl dechreues grio, a daeth holl emosiynau'r blynyddoedd cynnar hynny 'nôl i mi.

Dwy flynedd a hanner sydd 'na rhwng fy mrawd a minne – fo wedi'i eni ddechrau'r haf a finne ganol gaeaf. Ro'n i'n meddwl y byd ohono er gwaetha'r ffaith y bydden ni'n pallan fel ci a chiêth yn o amal. Yn wir, yn ystod un ffrae go hegar, rhois gymaint o gic iddo ar ei grimog nes i mi dynnu ligaments yn fy nhroed, ac mi fues i'n hopian am ddyddie. Roedd cymaint o gywilydd gan Mam nad oedd ei phlant yn cyd-dynnu fel iddi fy ngorchymyn i ddeud wrth bawb mai wedi cicio pêl ffwtbol ro'n i, a hynny yn nhraed fy sanau!

Ond roedd Lloyd yn arwr i mi – ac mae'n dal i fod! Roedd y syniad amdano'n mynd i ffwrdd yn fy llenwi â rhyw gynnwrf rhyfedd. Roeddwn yn teimlo rywsut ei fod yn cael rhyw brofiad breintiedig iawn. Yn fy meddwl plentynnaidd i, bron na faswn yn deud fy mod yn eiddigeddus ohono! Wedi'r cwbwl, ro'n i wedi fy magu ar lyfrau Mallory Towers Enid Blyton, a adroddai hanesion gwych am ysgol fonedd i ferched ac a gyfeiriai'n gyson at 'midnight feasts' a digwyddiadau cyffrous oedd yn 'jolly good fun'. Do'n i ddim yn deall, wrth gwrs, fod ein perthynas fel brawd a chwaer – yr holl brofiadau bach dyddiol diddrwg didda – yn mynd i newid am byth, ac y byddai ei ymadawiad i bob pwrpas yn chwalu'r uned glòs a fu yn Bryntanat.

Mae gen i luniau bach clir yn fy mhen o'r cyfnod hwnnw – snapshots bach sy'n deud cyfrolau . . .

Yr ymweliad cynta ag Abermad ar ôl iddo dreulio wythnos yno. Cael clamp o fowlennaid o Corn Flakes a'u llyncu'n sydyn mewn pendro o gynnwrf, cyn ymlwybro ar hyd ffordd droellog at yr arfordir a chwydu'r brecwast felltith dros sedd gefn y car. Cyrraedd yno'n drewi'n ulw o chwd.

Crwydro'r ystafelloedd gyda'u hogla polish a chogie bach, a sleifio i mewn i un o 'dormitories' y bechgyn a'r rheiny'n sgrechian yn flin arna i i fynd o'na.

Mynychu 'Sports Day' efo Miss Rŵm Fech a Miss Rŵm Fawr, y ddwy wedi dod am wibdaith i weld sut le oedd yr Abermad yma, a'r ddwy wedi gwisgo'n smart drybeilig yn eu dillad gorau. Lloyd yn cystadlu yn y ras hir, a fo a'i ffrindiau'n rhedeg rownd y cae a'u breichiau i lawr wrth eu hochrau er mwyn arbed egni – rhywbeth oedd yn destun sbort a chwerthin i'r dorf oedd yn eu gwylio! Cael obsesiwn bach yn fy mhen sut byddai'r plygiad yn shorts bach brethyn y bechgyn yn mynd i fyny ac i lawr mewn siâp 'V' o gwmpas eu penolau – mae'n amlwg bod sbio'n slei ar benolau bechgyn wedi bod yn ddiléit gen i o oedran ifanc iawn!

Mynd i weld Lloyd yn annisgwyl rywdro am iddo syrthio oddi ar ei feic a brifo'i fraich yn arw iawn. Roedd ganddo dwll mawr gwaedlyd ym môn ei fraich lle'r aethai'r 'handlebars' i mewn i'r cnawd, a briwiau brwnt ar hyd ei wyneb a'i goesau. Ar ôl treulio amser efo fo yn y 'sick bay' daeth yr amser i ffarwelio, ac wrth gyrraedd y drws ffrynt anferth o dderw, cofies fy mod wedi anghofio deud rhywbeth wrtho. Carlames yn ôl i fyny'r staer crand ac yn ôl i'r 'sick bay', ac yno, yn crio'n dawel bach ar ei wely, ei wyneb yn ddwfn yn ei obennydd a'i gorff bach yn ysgwyd yn fud, roedd Lloyd. Y cradur bach wedi llwyddo i guddio'i dristwch tan i ni adael y stafell ac yna wedi gadael i'r dagrau lifo. Roedd o'n flin mod i wedi'i ddal o'n crio, a finne'n methu deall pam.

Ar ôl y cyfnod yn Abermad, yn ddeuddeg oed aeth Lloyd ymlaen i Goleg Preswyl Wrekin yn sir Amwythig, a bu yno tan flwyddyn ei Lefel O. Yna, i lawr â fo i Goleg Rycotewood, ger Rhydychen, i astudio peirianneg.

Yn ddiweddar, mi fuon ni'n trafod â'n gilydd sut effaith gafodd ei anfon i ffwrdd arno, a dywedodd Lloyd mai cyfnod o ennill a cholli oedd y blynyddoedd hynny iddo fo. Mae o'n medru edrych ar bethe mewn ffordd lawer mwy pragmatig na'i chwaer, ac mae'n taeru ei fod o ar ei ennill gan ei fod yn teimlo bod y profiad wedi datblygu ei annibyniaeth a'i synnwyr o fenter. Fel dyn busnes llwyddiannus heddiw, mae'n teimlo na fyddai'r rhinwedd o beidio â bod ofn mentro wedi cael ei ddatblygu oni bai am ei brofiadau yn Abermad a Wrekin. Ar y llaw arall, mae'n teimlo colled hefyd nad oes ganddo ffrindie bore oes yn ardal Dyffryn Banw, a bod ei wreiddiau'n fasach a'i ymdeimlad at yr ardal yn llai sefydlog. Hynny, wrth gwrs, ar ben yr emosiynau naturiol ond cymhleth a ddaeth yn sgil cael ei anfon o'r nyth yn blentyn bach saith oed.

Serch hynny, yn ôl i Ddyffryn Banw y doth o, a sefydlu busnes llwyddiannus fel peiriannydd amaethyddol yn Llanerfyl. Priodi Janet, lodes leol, a chael dau o larpiau braf, Harri a Siôn. Bellach mae'n byw mewn tŷ ar dir Bryntanat – hanner canllath oddi wrth Dad!

Dyddiau ysgol

O'n i'n despret i gael 'cychwyn ysgol'! Roedd Lloyd, wrth gwrs, wedi hen ddechrau yn Ysgol Llanerfyl, a finne'n teimlo mod i'n colli allan ar rywbeth rhyfeddol.

Cofiaf gynnwrf y diwrnod cynta fel ddoe, ac fel y tafles fy hun i mewn i holl drefn y diwrnod â'm holl egni. Mae gen i gof o redeg o gwmpas iard yr ysgol wedi cynhyrfu'n lân, rownd a rownd fel rhywbeth gwyllt. Yna sylwi ar lodes fach dlws efo gwallt hir brown yn cerdded drwy wicied yr ysgol gyda'i mam, a golwg betrusgar ar ei hwyneb. Enid oedd ei henw, a gwyddwn o'r eiliad honno y bydden ni'n ffrindie pennaf.

Daeth lodes fach arall i'r ysgol yn nes ymlaen yn y flwyddyn. Janet oedd ei henw, a bu'r tair ohonom yn ffrindie gore trwy gydol ein cyfnod yn yr ysgol gynradd a'r ysgol uwchradd. Ymunodd Gwenan, lodes hyfryd o Bontrobert, â'r giang ar ddechrau'r ysgol uwchradd, a bu'r pedair ohonom wedyn yn anwahanadwy hyd ddiwedd ein cyfnod ysgol.

Lodes ffarm oedd Janet, ac yn un oedd wrth ei bodd allan yn yr awyr iach, yn enwedig efo ceffylau. A deud y gwir, roedd hi'n 'horse mad', fel y byddai'n cyfaddef ei hun! Roedd gen i barch aruthrol at ei gallu i drin ceffylau a merlota. Roeddwn inne'n dyheu am gael ceffyl ac yn amal yn mwydro Mam a Dad i brynu un i mi. Ond 'na' oedd yr ateb bob tro. Felly byddwn yn mynd draw i chwarae i Dynewydd, cartref

71

Janet, gan obeithio'n daer y byddwn yn cael cyfle i gael reid ar un o'r 'ffyle!

Un tro, tuag amser yr Horse of the Year Show, es draw i Dynewydd gyda'r bwriad o fynd am *trek* efo Janet ar hyd y ffyrdd cefn o gwmpas y ffarm. Gwisges grys gwyn a siaced fach addas (jest fel y cystadleuwyr ar Horse of the Year!), yn barod am yr antur. Ces fenthyg het galed gan Janet i gwblhau'r ddelwedd ac i ffwrdd â ni – hi ar geffyl o'r enw Taff a finne ar gefn Jess, ceffyl Janet.

Roedd gan Jess ebol bach newydd, ac mi synhwyres rywsut nad oedd hi'n gythgiam o hapus ynglŷn â'r sefyllfa o adael ei hepil ar ôl yn y cae. Ond diflannodd ein hamheuon wrth i'r ddwy ohonom ymlwybro'n linc-di-lonc yn yr haul, y pedolau'n clip-clopian yn ddiog ar y tarmac a ninne'n teimlo fel dwy ledi 'horsey' dros ben!

Heibio Ty'n Coed a'r Felin, heibio Rhosgall, a thros afon Gam wrth bont Rhyd-yr-efail tuag at Abernodwydd. Daethom i stop wrth lidiart yno, ac wrth i Janet ymestyn i'w agor, rhoddodd ceffyl Janet homar o gic i Jess yn ei gwddw. Gweryrodd Jess yn flin, ac yn ei gwylltineb, bagiodd yn ôl a chychwyn carlamu ffwl sbid yn ôl ar hyd y ffordd ddaethon ni, a finne'n dal mlaen fel dyfrgi!

Clywes Janet yn sgrechian arna i i dynnu'n galed ar y ffrwyn ond roedd unrhyw ymdrechion tila a wnawn i i ffrwyno Jess yn gwbwl ddi-les. Carlamai'n wyllt mor gyflym ag y medrai a finne wedi dychryn am fy mywyd. Un peth oedd trotian yn ddelicet ar hyd caeau bach fflat Tynewydd ond profiad ysgytwol ar y diawl oedd carlamu fel taswn i yn y Grand National! Sylwes trwy gornel fy llygad ar Jac Rhosgall (heddwch i'w lwch) yn syllu'n syn arna i wrth imi wibio heibio, ac yn gweiddi rhywbeth fel tase fo'n ein hannog ni i fynd yn gynt. Mae'n debyg bod Jac druan dan yr argraff fod Janet a fi'n rasio ceffylau o ddifri, a bod 'Siên Bryntanat' yn bell ar y blaen er mawr syndod iddo. 'Roedd y lodes yn edrych fel "real professional", wsti,' medde fo wrth fy nhad rai dyddie wedyn. Nid proffesiynoldeb mohono, wrth gwrs, ond greddf bur i osgoi marwolaeth.

Yn sydyn, ym muarth Tynewydd, sgrialodd Jess i stop a sbio o'i chwmpas yn wyllt a gweryru fel rhywbeth ddim yn gall. Rhedodd tad Janet ata i a chydied yn ffrwyn y ferlen gan ofyn be aflwydd oedd yn mynd ymlaen. Fedrwn i ddim ateb y dyn, ro'n i wedi dychryn cymaint. Allwn i ddim credu mod i wedi llwyddo i beidio â syrthio oddi ar y ferlen felltith.

Ond wrth i mi dynnu nhraed allan o'r cyfrwy i neidio oddi arni, clywodd Jess ei hebol yn gweryru o'r cae cyfagos. Unwaith yn rhagor gwylltiodd y ferlen a throi ar ei sowdl – wel, ei charn – ac i ffwrdd â hi i gyfeiriad y gweryru. O mlaen i roedd llidiart haearn uchel a gwyddwn ei bod yn mynd i neud ei gore glas i neidio dros y bali peth. No wê o'n i'n mynd i fentro hynny, ac felly, ar ôl pwyso a mesur yr opsiynau mewn fflach, i lawr â fi gan obeithio na fydde'r llawr yn teimlo'n rhy galed.

Ond mi *roedd* y llawr yn galed, wrth gwrs – caled ar y diawl – ac fe dorrwyd un ochor i fy het galed yn deilchion yn nerth y godwm. Glanies ar fy nghlun dde ac wrth orwedd yno'n griddfan mewn poen, y peth cynta 'nes i oedd trio symud bysedd fy nhraed. A finne'n un o ffans mwya *General Hospital* a *Dr Finlay's Casebook*, gwyddwn fod medru symud bysedd eich traed yn brawf fod eich cefn yn iawn! Wel mi roeddan nhw, diolch i Dduw, a hoffwn gymryd y cyfle yma rŵan i ddiolch o galon i Dduw – os 'dio'n digwydd bod yn gwrando, neu'n darllen – am achub fy mywyd i'r diwrnod

73

hwnnw. O ddifri calon, does gen i ddim mymryn o amheuaeth nad oedd 'na ryw Fod Ysbrydol yn fy ngwarchod i'r diwrnod hwnnw.

Lle roedden ni, dwch?! O ie, yn yr ysgol. Dwn 'im ai fi sy'n hoffi cael trefn yn fy mywyd gan mod i'n gwbwl ddi-drefn yn gynhenid, ond roedd yr holl gysyniad o ysgol – Llanerfyl ac yna ysgol uwchradd Llanfair – yn fy siwtio'n berffaith. Roeddwn wrth fy modd yn y ddau le, ac erys yr atgofion am y disgyblion a'r athrawon fel rhai hapus iawn yn fy nghof.

Roedd gadael Ysgol Llanerfyl yn gyllell yn fy nghalon, ac am rai wythnosau ar ôl symud i Lanfair bûm yn hynod isel fy ysbryd. Teimlwn ar goll yn 'yr ysgol fawr' a bûm yn crio'n reit gyson, a deud y gwir, gan ddeud mai hiraeth am 'yr ysgol fech' oedd achos fy nhristwch.

Wrth gwrs, wrth edrych 'nôl gyda thipyn o ôl-ddoethineb, roedd yna ddigwyddiad mawr arall wedi bod yn fy mywyd yn ystod y cyfnod hwn, a dwi'n amau bellach mai hwnnw oedd gwir achos y felan. Dyma'r cyfnod pan gafodd Mam multiple sclerosis. Dydi ei ddeud o'n swta fel'na ddim wir yn trosglwyddo pa mor erchyll oedd hyn i Mam, nac i ni fel teulu. Newidiodd popeth mewn amrantiad. Roeddwn i'n un ar ddeg oed a hithau'n ddim ond pedwar deg a thri.

Sefyllfaoedd cyffredin iawn ddangosodd i ni fod rhywbeth yn bod arni. Roedd hi'n smwddio un diwrnod yn y stafell fyw, a finne'n gwylio'r teledu. Meddai hi'n ysgafn reit,

'I've got pins and needles in my hands . . . I've had it for a while now . . . strange.'

Yna'r ddwy ohonom yn eistedd y tu allan un diwrnod, a hithe'n troi ata i i ddeud bod ei golwg wedi mynd yn aneglur yn un llygad, a hynny bron â bod dros nos. Cyn inni droi, roedd Mam yn yr ysbyty'n cael profion – pob prawf dan haul, o brofion gwaed a phelydr-X i *lumbar punctures*.

Aeth y dyddiau'n wythnosau ac yna, un diwrnod heulog, braf, a Mam a finne ar y ffordd 'nôl o siopa, roedd angen picio i mewn i'r syrjeri ar y ffordd adre.

'Sister, Dr O'Dwyer wants to see you,' meddai'r ferch wrth y dderbynfa. I mewn â ni'n dwy i stafell y meddyg. Neidies ar ben y *couch* fel ro'n i 'di gneud droeon o'r blaen, a siglo nghoesau 'nôl a mlaen wrth aros i'r oedolion gael deud eu deud. Roedd yr awyrgylch yn llethol a synhwyres fod rhywbeth mawr yn bod.

'What's the matter?' gofynnodd Mam.

'Sister . . . I'm afraid it's what you thought . . . what we suspected,' meddai'n betrusgar.

'What do you mean?'

'I'm afraid it is dissemminated sclerosis.' Stopies siglo nhraed ac aeth y ddau yn fud.

'MS?'

'Yes. I'm so sorry, Marjorie.'

Aethom adre, a'r distawrwydd yn y car yn llethol. Doeddwn i ddim yn deall. Pam fod Mam yn fud? Be oedd yr MS 'ma? Ar ôl cyrraedd adre dechreuodd Mam grio – hidlo crio. Crio o grombil ei bod, rywsut, a hynny'n ddi-stop am oddeutu pythefnos. Profiad dirdynnol i blentyn yw gweld rhiant yn diodde'r fath emosiwn amrwd a chofiaf deimlo'n warchodol iawn ohoni. Gwyddwn na fyddai pethe byth 'run fath eto a chymeres arnaf fy hun mai fi fyddai'r gwarchodwr o hyn ymlaen. Roedd rôl y ddwy ohonom wedi troi wyneb i waered, ac er mai dim ond plentyn o'n i, profes bwysau cyfrifoldeb am y tro cynta.

Peidiodd y crio o'r diwedd a daeth normalrwydd cymharol

i'n bywydau. Roedd Mam yn cael pigiadau o ACTH (rhyw fath o steroid) a leddfai rywfaint ar rai o'r symptomau mwya annifyr. Yn anorfod roedd iddo sgileffeithiau, ac er y byddai Mam yn teimlo'n egnïol a lled iach pan gymerai'r cyffur, byddai'r 'withdrawals' yn ei phoenydio'n greulon wedi iddi orfod cael ei dyfnu oddi arnynt. Dad oedd y prif chwistrellwr, ond yn fuan iawn mi ddysges inne sut i roi'r pigiadau hefyd, er mwyn trio arbed rhywfaint ar Dad.

Byddai Mam yn cael 'attacks', fel maen nhw'n cael eu disgrifio, bob rhyw chwe mis, a chyda phob un pwl drwg byddai'n dirywio ymhellach. Ond mynnodd barhau â'i gwaith, a gwrthododd adael i'r salwch reoli ei bywyd – am y pymtheg mlynedd cynta, o leia. Aeth bywyd yn ei flaen yn linc-di-lonc: canu, gwersi telyn, piano a ffidil, gwaith a bywyd cymdeithasol yr ysgol uwchradd, a steddfota ar hyd a lled y wlad.

Yn ystod blynyddoedd cynnar fy arddegau y daeth fy mhrofiad cynta o gyngherdda. Roedd Ffranses Môn a Mrs Arthur Thomas wedi cychwyn grŵp bach o gantorion ifanc ynghyd â chôr telynau. Yn y côr telynau roedd Ieuan Jones, Mathrafal, a finne – a Ffranses ei hun, wrth gwrs. Y Gwerinwyr Bach oedd enw'r grŵp canu – criw o ferched bach lleol o ysgol gynradd Llanfair: Nerys Graig, Vivien Jones, Mirain Ellis, Delyth ac Eleri Coedcaehaidd, Helen Peate, Helen Morris, Jayne Thomas ac Awel Davies.

Byddem yn cael hwyl aruthrol wrth deithio'r wlad yn cadw cyngherddau. Buom yng nghymdeithasau Cymraeg Birmingham a Bryste, ac yn Gray's Inn Road (Llundain) amryw o weithiau, yn ogystal â neuaddau pentref trwy Gymru benbaladr. Cawsom brofiadau amhrisiadwy yn ystod y cyfnod hwn, heb sôn am lond trol o hwyl. Anturiaethau di-ri o fynd i ddinasoedd pellennig a pherfformio o flaen dieithriaid o ddiwylliant go wahanol i'n bywyd bach gwledig ni. Heddiw, wrth gwrs, mae pethe'n dra gwahanol a tydi teithio i rywle fel Bryste ddim yn brofiad hanner mor gynhyrfus ag oedd o 'nôl yn y saithdegau!

Dyma'r dechreuad i mi o ran canu ar fy mhen fy hun i gyfeiliant y delyn, a hynny o flaen cynulleidfa. Cofiaf fod yn swil ddifrifol a Ffranses yn fy annog i gyflwyno'r caneuon fy hun yn hytrach na dibynnu arni hi. Fesul tipyn, tyfodd fy hyder a daeth profiad bach arall i fwydo'r dychymyg, sef y gallu i neud i gynulleidfa chwerthin. Rhoddodd hwnnw waw ffactor go iawn i mi!

Daeth ambell dro trwstan hefyd yn sgil ein poblogrwydd fel parti perfformio. Un noson, mewn cyngerdd yn Llanrhaeadr-ym-Mochnant, roeddwn wrthi efo Ffranses, Ieuan a'r Gwerinwyr Bach yn canu'n ddel ar lwyfan neuadd y pentref. Ond doedd pawb yno ddim yn gwerthfawrogi'n perfformiad bach neis neis! Yn yr egwyl, dyma Mirain a Vivien o'r Gwerinwyr yn rhedeg ata i wedi cynhyrfu'n lân.

'Ty'd yma cwic! Mae 'na rywun wedi sgwennu rhywbeth horibyl ar y drws yn cefn.' Dyma fy llusgo i gefn y llwyfan, ac yno ar ddrws ein 'dressing room' (gair mawreddog dros ben am ystafell fach damp ac oer oedd mor nodweddiadol o neuaddau bach gwledig), mewn lipstic coch gwaedlyd, roedd y geiriau: 'WE HATE SIAN JAMES'. Yna cerddodd dwy ferch tuag aton ni, merched a edrychai fel pe gallen nhw fy malu'n rhacs mewn amrantiad, a datgan yn herfeiddiol wrtha i,

'Someone wants to see you outside.'

Dechreuodd Mirain a Viv sgrechian.

'Paid â mynd, paid â mynd – ma'n nhw'n mynd i bîtio ti fyny!' Doedd gen i ddim bwriad o fynd allan i dywyllwch cefn y neuadd, yn enwedig o weld y giang o ferched bygythiol dros ysgwydd y ddwy a safai fel Amazonians y tu allan i'r drws cefn, fel cymeriadau allan o *Bad Girls*!

Meddwn i'n ffug ddewr ac yn gryndod i gyd,

'Then tell 'er to come here if she wants to see me.' Allan â'r ddwy ferch i drosglwyddo'r neges.

'Rhedwch!' medde fi wrth y ddwy arall a sgrialu i lawr i gysur y dorf ac aros yno'n nerfus reit tan ddiwedd y gyngerdd. Ces wers y noson honno – merched caled ar y diawl oedd merched Llanrhaeadr 'nôl yn y saithdegau!

Mi weles i bennaeth y giang, fel petai, flynyddoedd yn ddiweddarach. Fues i'n canu'r delyn mewn gwesty heb fod yn bell o'r Trallwm a dyna lle roedd hi'n gweini mewn ffrog ddu a ffedog fach wen. Cyfarfu'n llygaid am eiliad a llifodd yr atgofion yn ôl. Ddaliwyd mo'r edrychiad yn hir ond taeraf o'r grechwen ar ei hwyneb y byddai hi wedi bod wrth ei bodd yn rhoi dwrn i mi'r noson honno hefyd petai hi wedi cael y cyfle!

Pan ddechreues gael gwersi gan Ffranses, buan iawn y sylweddoles fod llawer mwy i ganu'r delyn na jest chwarae darnau clasurol. Gwyddwn fod Ffranses wedi treulio llawer o'i gyrfa yn canu i gyfeiliant ei thelyn, ac wedi i mi ddangos diddordeb mewn gwneud yr un peth, rhoddodd bob cefnogaeth i mi.

Roedd cyfansoddi cerddoriaeth hefyd, rywsut, wedi sodro'i hun yn fy mhen ar ôl i mi ddechrau canu'r piano a chael offeryn a fyddai'n fy ngalluogi i drosglwyddo'r synau a'r alawon oedd yn fy mhen. Rwy'n cofio hyd heddiw yr alaw fach gynta i mi ei chyfansoddi ar y piano, a'i henwi'n 'Llyn y Grinwydden' (enw ar lyn bendigedig uwchben boncyn y Gardden). Alaw fach drist yn C leiaf oedd hi, ac fe swniai'n llawer rhy hiraethus i lodes fach chwech oed. Ond roedd y cyweirnod lleddf yn agor pob math o wahanol bosibiliadau yn fy mhen – efallai mai dyma brif ddylanwad yr alawon hudolus melancolaidd o India a glywswn ar yr hen gramoffon.

Wedi i Ffranses blannu'r hedyn o neud trefniannau o alawon gwerin, doedd dim stop arna i wedyn. Byddwn yn cyfansoddi wrth y piano'n gyson ac yn creu gwrthalawon i ganeuon fel 'Y Deryn Pur', 'Y March Glas' a 'Cyfri'r Geifr'. Ro'n i wrth fy modd!

Daeth profiad bach bythgofiadwy i'm rhan yn ystod y blynyddoedd cynnar o ddysgu'r delyn. Dynes siampŵ a set oedd Mam a byddai'n cael trin ei gwallt bob dydd Gwener. Maureen Lewis oedd pia'r siop trin gwallt a byddai'r ddwy, ynghyd â'r cwsmeriaid eraill, yn rhoi'r byd yn ei le yn wythnosol. Am gyfnod byr, bu raid i Maureen symud o'i siop i'w thŷ ym Meifod, ac yno'r âi Mam am ei 'hair-do' yn ystod y cyfnod hwnnw.

Un pnawn Gwener, a Mam â'i phen yng nghrombil y sinc, dyma Maureen yn datgan bod Nansi Richards wedi dod draw i aros am ychydig a'i bod yn eistedd yn y parlwr, a bod croeso i mi fynd ati i gael sgwrs fach. Doedd gen i ddim syniad pwy oedd Nansi Richards, ond o'r olwg ar wyneb gwlyb Mam, synhwyrwn ei bod hi'n dipyn o 'celebrity'!

'Ŵ ie, Siân, cier ati am sgwrs. Neith les i ti!' Go betrus oeddwn i, a deud y gwir, ond ufuddhau wnes i a cherdded i lawr coridor tywyll at ddrws y parlwr. Cnocies yn dawel ac ar orchymyn y llais, i mewn â fi. Yn eistedd ar gadair gyfforddus roedd gwraig fach eiddil a sbectol pot jam ar ei thrwyn, ac wrth ei hymyl, telyn bedal henffasiwn.

'A pwy dech chi, 'te?' medde'r wraig.

'Siân. Mae Mam yn ciel 'i gwellt 'di neud, a . . .'

'Ty'd o'na mewn, i mi giel gweld ti'n iawn,' medde hi wedyn.

Eisteddes wrth ei hymyl a chael sgwrs hyfryd a theimlo fel taswn i wedi'i nabod hi rioed! Cyn pen dim cydiodd yn y delyn a chwarae alaw fach oedd yn ddiarth i mi. Sylwes fod ei llygaid yn agos agos at ei bysedd wrth iddi chwarae, er gwaetha'r sbectols pot jam, a bod y miwsig yn llifo ohoni fel rhaeadr fyrlymus. Roeddwn i mewn byd arall!

'Nei di whare rhywbeth i fi?' gofynnodd. Yn nerfus reit, es ati i chwarae darn bach ro'n i newydd ei gyfansoddi, a synhwyro ei bod hithau hefyd wrth ei bodd.

Ymhen rhai wythnosau roedd Mam yn ôl efo Maureen, a minne'n ôl yn y parlwr yn sgwrsio efo Nansi.

'Ty'laen 'te. Gied 'mi glywed ti'n whare. Beth am yr alaw 'na wharaees di i fi tro dwytha fuest ti yma?'

'Pa un oedd honna, 'te?' gofynnes.

'Ti'm yn ei chofio hi?' medde hi mewn syndod.

'Negdw, sorri.' Roedd yr alaw fach wedi hen ddiflannu o'r cof, a chan nad oeddwn wedi'i chofnodi, doedd 'na'm gobaith caneri i mi ei chofio heb dipyn go lew o waith meddwl. Gafaelodd Nansi yn ei thelyn a heb feddwl ddwywaith, dechreuodd chwarae'r union diwn â phob nodyn yn ei le! Dyna fraint i lodes fach ifanc oedd cael treulio awr neu ddwy yng nghwmni un o'n harwyr mwya rhyfeddol.

Yn rhyfedd ddigon, ces gyfle flynyddoedd yn ddiweddarach i gymryd rhan Nansi mewn drama ddogfen o'i bywyd. Wel! – dyna her oedd gorfod ymaflyd â'r delyn ar yr ysgwydd chwith, yn driw wrth gwrs i'r hen draddodiad, heb sôn am geisio gwneud synnwyr o'r delyn deires! Mi lwyddes ar ôl llawer o ymarfer caled i chwarae 'Pwt ar y Bys' ar gyfer un olygfa. Anghofia i fyth fynd i gael ffitio wìg i lawr yng Nghaerdydd yn barod ar gyfer y ffilmio, a syllu mewn syndod ar lun polaroid ohonof ochor yn ochor â llun bach sepia ohoni hi yn wraig ifanc. Plis peidiwch â ngham-ddallt i – dwi ddim am un eiliad yn fy nghymharu fy hun â'r athrylith ddigymar Nansi Richards, ond wrth syllu ar y ddau lun o'm blaen, daeth y teimlad rhyfedda drosta i o weld pa mor debyg oeddwn i iddi o ran pryd a gwedd!

I fwydo'r dychymyg ymhellach fyth, ces gyfle i fynd efo Ffranses i benwythnosau'r Gymdeithas Alawon Gwerin i gymryd rhan ynddynt a dysgu mwy am ganeuon gwerin. Bu Ffranses yn ysgrifennydd y gymdeithas honno yn ogystal â'r Gymdeithas Ddawns Werin am lawer o flynyddoedd, a thrwyddi hi ces y fraint o rannu nosweithiau hwyliog efo cewri'r byd canu a dawnsio gwerin: Meredydd Evans a Phyllis Kinney, Buddug Lloyd Roberts a Jean Huw Jones.

Mewn cynhadledd yng Ngregynog rywdro, bu Merêd yn trafod pwysigrwydd y rhif naw mewn llên gwerin. Cafwyd ambell ddywediad difyr yn cynnwys y rhif naw, fel 'difyr ar y naw', 'cymeriad ar y naw ydi o,' ac yn y blaen.

'Oes gynnoch chi ddywediadau yn sir Drefaldwyn 'ma?' gofynnodd Merêd.

I fyny'r aeth fy llaw.

'Ie, Siân?'

'Wel, mae gan Dad ddywediad efo'r rhif naw,' medde fi'n ddiniwed reit.

'Ow, da! Be 'di hwnnw, 'ta?'

81

'Wel, ar ôl dos go ddrwg o ddeiaria, mae o'n deud, "Wannwyl, o'n i'n ciachu dros naw shetin!" '

Ffrwydrodd y neuadd mewn bonllefau o chwerthin, a finne cyn goched â thomato!

Fues i'n cymryd rhan yn y nosweithiau llawen oedd yn rhan mor annatod o'r penwythnosau hyn, ac un o'm hoff ganeuon oedd 'Mae Robin yn Swil'. Ro'n i'n hamio'r peth i fyny i raddau hollol wirion, ac yn eistedd ar lin aelod mwya swil y gynulleidfa ar gyfer y bennill ola:

> Daw Robin ryw ddiwrnod rhwng hoffter a braw
> I ddeud yn serchglwyfus wrth wasgu fy llaw,
> 'A gawn ni briodi, o Mari fy mun?'
> 'Cawn, cawn, Robin annwyl,
> Os mynni ddydd Llun!'
>
> Bydd Robin yn ddyn,
> Bydd Robin yn ddyn,
> O iechyd i'w galon
> Bydd Robin yn ddyn!

'Mae'n rhaid i ti feddwl am *musical theatre* fel gyrfa, Siân,' meddai Phyllis wrtha i ryw noson, yn ei hacen Americanaidd Katherine Hepburn-aidd fendigedig. 'Dwi'n teimlo y dylet ti feddwl amdano.'

Mi *wnes* i feddwl amdano – lot fawr, a deud y gwir – ac er i ambell gyfle theatrig gerddorol ddod i'm rhan dros y blynyddoedd, doedd Cymru fach ddim mor 'obsesd' efo miwsicals neu sioeau cerdd bryd hynny (yn wahanol iawn i heddiw, wrth gwrs), ac felly ni wireddwyd fy mreuddwyd go iawn!

Ond fe ddaeth 'na gyfleon gwych i'm rhan ym myd theatr gerdd pan o'n i yn fy arddegau, a hynny drwy Gwmni Theatr yr Urdd dan arweiniad Emyr Edwards. Daeth hys-bys i'r ysgol pan o'n i'n bedair ar ddeg oed fod cyfweliadau'n cael eu cynnal yn yr ysgol. Neidies ar y cyfle ac ar fore Sadwrn oer es draw i'r ysgol i ddarllen rhyw bwt o linellau o sgript arfaethedig y sioe. Aeth y cyfweliad yn lled dda, hyd y gwyddwn i, ond wrth gerdded 'nôl i gyfarfod â Mam oedd yn cael siampŵ a set y bore hwnnw, stopies ar y bont a arweiniai i ganol dref Llanfair a syllu i lawr i'r dŵr yn teimlo'n reit ddigalon. Ro'n i'n methu rhoi fy mys ar darddiad y digalondid ond roedd rhyw deimlad o 'inevitability' yn perthyn i'r diwrnod. Roedd cwestiwn yn troelli yn fy mhen a wrthodai dawelu . . .

'Ti'n siŵr bo tisio gneud hyn? Hwn ydi'r llwybr tisio'i gymryd, ie? Wyt ti'n siŵr . . . yn hollol siŵr?' Mi ges ryw deimlad anesboniadwy fod profiadau'r cyfweliad ro'n i newydd ei gael yn ddi-droi'n-ôl rywsut, fel petai popeth allan o nwylo i o'r funud honno 'mlaen: nad oedd gen i ddewis, mewn gwirionedd. Dyna hi rŵan – dyma fy nyfodol. Duw a ŵyr pam es i mor ddadansoddol am rywbeth mor ysgafn a hwyliog a finne'n ddim ond pedair ar ddeg oed, ond yn bendant mi ges i ryw fath o 'epiphany'!

Daeth y neges drwyddo'n fuan mod i wedi cael lle yn y cast, ac ar y cyfan ro'n i wrth fy modd. Ond mi oedd yr hen gnoi yn dal yna: y teimlad yna fod popeth allan o nwylo i – bron fel petai'r duwiau'n chwarae gwyddbwyll efo fi. Wrth gwrs, mi ges i fwynhad aruthrol o'r holl brofiad. Sbort, *buzz*, cyfeillgarwch, cyfle i ddatblygu agwedd o berfformio ro'n i'n ei fwynhau yn arw. Sefyllfa *win-win* go iawn!

Sioe o'r enw *Harri Morgan* oedd hi – y geiriau gan Emyr

Edwards a'r gerddoriaeth gan Endaf Emlyn. Gyda mhrofiadau cerddorol hynod gyfyngedig doeddwn i rioed wedi dod ar draws athrylith Endaf cyn hynny. Ond mae gen i gof amdano'n dod i un o'r perfformiadau cynnar a'r cast wedi'u cynhyrfu'n lân am ei fod o yn y gynulleidfa!

Yn ystod yr ymarferion cynta yn Llangrannog, clywodd y diweddar John Owen fi'n canu wrth ymarfer gyda'r corws. Roedd o'n digwydd bod yn eistedd o mlaen i, a throdd ei ben a gofyn yn ddiseremoni,

'Pwy wyt ti, 'te?'

'Siân,' medde fi braidd yn amheus.

'O . . . ti yw Siân, ie? Mmm . . . llais neis!' O fewn dim, roedd John wedi cael gair efo Emyr, ac roedd gen i unawd i'w chanu. Cân calypso oedd hi o ran naws ac ro'n i jest â byrstio o'r bwrlwm o gynnwrf oedd yn fy mol! Waw, dyma hi – fy mhrofiad cynta o ganu rhywbeth cyfoes efo dipyn o fynd ynddo.

Er mawr syndod i mi, roedd gan bawb ar y cwrs dipyn bach o obsesiwn gyda'm hacen o'r eiliad cyrhaeddes i. Wrth reswm, doedd y rhan fwya o'r bobol ifanc yno ddim wedi clywed am sir Drefaldwyn, heb sôn am glywed yr acen! O glywed y 'nê' a'r 'bech', buan iawn y ces fy medyddio yn Siên – wedi'i yngahu fel y cowboi 'Shane', nid fel mae brodorion Dyffryn Banw yn ynganu 'Siên', wrth gwrs! Ro'n i wrth fy modd a theimlwn yn rhan o giang annwyl a chyfeillgar.

Roedd y noson agoriadol yn Theatr Felinfach, a chofiaf sefyll ar y llwyfan gyda gweddill y cast yn ein gwisgoedd a'n colur yn aros i'r llenni agor, a'r awyrgylch yn drydanol. Do'n i rioed wedi profi'r fath beth a daeth y don o gynnwrf aruthrol yma drosta i, a gwyddwn o'r eiliad honno mod i eisiau gneud LOT FAWR mwy o hyn, er gwaetha'r amheuon rai wythnosau ynghynt!

Mi fues i'n ddigon ffodus i fod yn rhan o gynyrchiadau Theatr yr Urdd am sawl blwyddyn, ac mae nyled i'n fawr i'r mudiad ac i'r rhai dewr hynny fu wrth y llyw yn ysbrydoli criw o bobol ifanc mor frwdfrydig. Sioeau gwych megis *Jiwdas* gan Delwyn Siôn, *Yr Opera Pishyn Tair* a *Trystan ac Esyllt* gan Euros Rhys. Amlygwyd llawer o dalentau ar y cyrsiau gwerthfawr hyn ac mae edrych 'nôl ar rai o'r lluniau yn dod â gwên fawr i'r wyneb wrth ystyried faint o'r wynebau diniwed sy'n gwenu'n ôl arna i sydd wedi llwyddo mor wych mewn gyrfaoedd yn y byd teledu a theatr – pobol fel Rhys Ifans, Rhian Morgan, Sioned Wiliam, Stifyn Parri, Bethan Gwanas, Branwen Cennard a Mari Emlyn, ac enwi dim ond ychydig.

Aeth bywyd yn ei flaen trwy gyfnod fy arddegau heb ryw lawer o ddrama. Tyfu i fyny yn awyrgylch hapus yr ysgol, ac wrth fy modd yno er gwaethaf fy ymdrechion tila mewn pynciau megis Ffiseg, Cemeg a Mathemateg. Er mai dim ond tri deg a phump o flynyddoedd sydd 'na ers fy nghyfnod ysgol, roedd yr agwedd at ferched ym myd Gwyddoniaeth yn rhagfarnllyd iawn, ac o ystyried bod gen i ffantasi ynglŷn â bod yn feddyg, ches i fawr o anogaeth ar yr ochor wyddonol. Do'n inne ddim yn gwybod yn well chwaith, ac oherwydd ambell sylw bachog ynglŷn â'r ffaith mod i mor ddi-glem yn y pynciau hyn, mi dderbynies i'r holl ddelwedd *ditsy* yma a dewis switsio i ffwrdd, fwy neu lai, yng nghefn y dosbarth.

Diolch i'r drefn, mi ges i athro Mathemateg gwych a'm tywysodd drwy'r cwrs CSE gydag ysbrydoliaeth a hiwmor. Mr Painter oedd hwnnw, gŵr annwyl dros ben a ddysgodd i mi wir ystyr amynedd. Roedd ei debygrwydd i J. P. R. Williams, un o arwyr y byd rygbi yn ystod y saithdegau, yn syfrdanol – rhywbeth oedd yn gyson yn fy synnu i pan fyddwn yn edrych ar ei wyneb mewn modd ffug-ddeallus wrth iddo drio rhoi trefn ar fy anallu i ddeall 'equations'.

'Are you still with me, Siân?' byddai'n holi'n amyneddgar wrth weld mod i wedi hen ddianc i ryw fyd arall.

'Oh . . . yes, sorry . . . Has anyone ever told you how like JPR you are, Mr Painter?'

'Yes, Siân. Now back to these equations.'

Diolch iddo fo ac ambell sesiwn rwystredig iawn efo Mam, fydde'n mynd yn wallgo gyda'i merch anwyddonol – 'Oh, my God, Siân – you are *so* illogical! There's just no point in carrying on. You've switched off . . . you've got that glazed look in your eyes again!' – mi ges i Radd 1 mewn Mathemateg CSE, oedd yn gyfwerth (fel y cofiwch, dwi'n siŵr!) â Lefel O. Golygai hyn hefyd y gallwn fod wedi mynd i ddysgu petawn i isio, gan fod Lefel O Mathemateg yn hanfodol i unrhyw swydd ym myd addysg.

Ta waeth. Roedd gen i lawer o athrawon rydw i'n eu cofio â chryn anwyldeb. Miss Mills, fy athrawes Gymraeg, er enghraifft; yn wir, roedd holl adran Gymraeg yr ysgol yn hyfryd – hi a Mr Ifor Baines a Dafydd Griffiths. Taniodd y tri gryn dipyn ar fy niddordeb yn y pwnc. 'Power house' o ddynes oedd Miss Mills. Yn anffodus, roedd ganddi nam ar ei chlun ond doedd hyn ddim yn ymddangos yn faen tramgwydd iddi, ac roedd ei brwdfrydedd a'i hegni yn chwedlonol wrth iddi daranu o gwmpas yr ysgol gan milltir yr awr.

Hoff athro arall oedd Mr Watkins, yr athro Bioleg. Ro'n i wrth fy modd efo'r pwnc, yn enwedig 'Human Biol', a byddwn yn cymryd diléit mawr mewn dysgu am ryfeddodau'r corff. Cymeriad hoffus a hynod annwyl oedd Mr Watkins, er gwaetha'r ffaith bod ganddo duedd weithiau i daflu pethe at ddisgyblion siaradus, o feiros i ddystyrs caled i fynsyn byrnyrs – rhywbeth oedd yn dueddol o ysgogi'r plant mwya drygionus i'w herio'n ddyddiol â'u triciau drwg.

Mi gofiaf Mr Watkins yn tacluso'i stordy'n frwd un tro, a chogie'r dosbarth yn mynnu mod inne'n mynd i mewn i'r stordy ato i'w gadw fo'n siarad tra bydden nhw'n cyflawni rhyw ddrygioni efo bynsyn byrnyr neu rywbeth cyffelyb.

'O, cier 'laen, Siên, ma'n licio ti – cadwa fo'n siarad!' Finne fel het yn ufuddhau ac yn ymlwybro i mewn i'r stafell fach dywyll i ddistractio Mr Watkins druan. Fel ro'n i'n dechrau sgwrsio, dyma un o'r diawled yn rhuthro am y drws ac yn ein cloi ni'n dau tu mewn i'r stordy! Sgen i'm cof clir beth ddigwyddodd wedyn ond yn sicr doedden ni ddim yn gaeth yn hir. Rhyw ddrygioni digon diniwed oedd diléit 'rhen gogie'r dyddie hynny!

Mrs Morgan oedd fy athrawes Gerddoriaeth – gwraig atyniadol a smart dros ben. Ar brydiau byddai'n medru bod yn anodd ei deall, a chawsom aml i gamddealltwriaeth dros y blynyddoedd. Ond serch hynny ro'n i'n hoff iawn ohoni ac fe'm tywysodd drwy fy Lefel O a'm Lefel A yn ddigon llwyddiannus.

Syrthies mewn cariad am y tro cynta pan o'n i'n bedair ar ddeg oed. Do'n i ddim mewn cariad go iawn, ma'n siŵr, ond mi ddaru'r teimladau brofes i fy llorio i ar y pryd! Roedd 'na farbeciw ar Mount Field yn Llanfair ryw noswaith oer ddiwedd y gwanwyn ac aeth criw ohonom i lawr yno i ymuno yn y miri. Wrth i mi frathu i mewn i fy myrgyr dila, medde un o'm ffrindie,

'Hei, Siên! Gesia be?'

'Be?'

'Mae Huw Graig yn ffansïo ti!'

Jest i mi dagu ar y byrgyr uffer ac mi es cyn goched â thomato – yn ôl fy arfer!

'Paid â bod yn wirion,' medde finne.

'Nê, wir 'wan.'

Roedd Huw Graig yn bishyn a hanner. Fo oedd y còg delia yn y dosbarth, a doedd ei ffordd wledig, 'ffarmol' (oes 'na'r fath air, dwch?!) ddim yn cyd-fynd rywsut â'i harddwch bocs siocled. Roedd ganddo swagr un a feddai hyder mewnol tawel – nodwedd brin ymysg ei gyfoedion croen pimpls a'u hosgo drwsgwl. Un oedd yn gwbwl gyfforddus efo fo'i hun ac efo'r byd o'i gwmpas oedd Huw Graig.

'Ffansïo fi? Ha!' meddwn i wedyn, gan chwerthin yn iach am y fath nonsens. Yn dawel bach, wrth gwrs, mi faswn i wedi rhoi'r byd i hyn fod yn wir, ond o sylwi ar y tyrnofyr dyddiol o ferched del a ddeuai i sefyll yn ei ochor wrth un o radiators y coridor top (sef y man cyfarfod i gariadon Fform Thri), doedd 'na fawr o siawns i hen drompen fel fi!

'Dowch 'laen,' medde rhywun. 'Ma'r cogie draw fanna, dan y dderwen.' Roedd hi wedi tywyllu erbyn hyn, a thrwy'r gwyll dilynes y criw at y giang swnllyd. Roedd cogie'r dosbarth yno i gyd yn tynnu coes a chwerthin yn eu ffordd arferol – ambell reg a hwth i'r naill a'r llall, a ninne'r merched yn rhythu'n wirion arnyn nhw fel petaen nhw o blaned arall. Dalies lygad Huw ac mi wenodd arna i – gwên lydan braf – ac mi roliodd ei lygaid mewn embaras fel petai'n gofyn am faddeuant ar ran ei ffrindie plentynnaidd. Gwenes inne'n ôl arno. Yna, dechreuodd gamu tuag ata i a finne'n sydyn iawn yn cael yr awydd ryfedda i redeg i ffwrdd nerth fy nhraed. Ddudodd o ddim byd, dim ond gafael ynof a phlannu homar o gusan fawr ar fy ngwefusau.

Rŵan, mae'n rhaid i chi gofio, lodes ddigon diniwed o'n i ar y cyfan a do'n i ddim wedi cael llawer o brofiad pan oedd hi'n dod i snogio! Ambell sws drwsgwl, wleb ar ddiwedd noson cinio'r Aelwyd, ond dim byd fel hyn. Wel, jest i mi basio allan! Aeth fy nghoesau fel jeli ac am eiliad fer mi feddylies fod yr angylion oll wedi ymweld â'r ddaear i ganu 'Haleliwia' – jest i fi! Tynnodd 'nôl o'r gusan, gwenu'n ddireidus arna i a cherdded i ffwrdd yn ôl at ei griw. Sefes yn fy unfan fel delw am yr hyn a deimlai fel oes, a ngheg yn llydan agored.

'*Ddedes* i'n do?' medde'r ffrind.

Perthynas ryfedd, reit nodweddiadol o ddau yn eu harddegau gawsom ni wedyn, ac un a barodd fawr ddim! Fi'n llawn amheuon o'i ddiffuantrwydd o, yn poeni pam 'se fo isio bod efo fi a'r holl ferched eraill del yma'n ymladd am ei sylw fo drwy'r amser, ac yn y blaen. Llawer rhy intens, wrth gwrs, i un mor ifanc! Dwi'n falch iawn o ddeud i mi ddysgu cryn dipyn o'r profiad cynnar hwn, fel sy'n amlwg am wn i o'r ffaith mod i'n sgwennu amdano yma, ond fues i erioed mor fewnsyllgar ynglŷn â dynion wedyn, gan i mi sylweddoli nad oedd teimlo fel hyn yn rhyw lawer o hwyl!

Ar ôl fy mhen-blwydd yn ddeunaw, roedd yr amser wedi dod i geisio gwneud penderfyniadau am yrfa. Cymraeg, Saesneg a Cherdd 'nes i ar gyfer Lefel A. Ro'n i wedi sylweddoli ers tro na fyddwn i byth yn ddoctor! Cyfreithiwr oedd syniad arall fu'n cosi fy nychymyg. Byddwn yn fy nychmygu fy hun yn sefyll mewn llys barn mewn gŵn ddu a wìg fach wen ar fy mhen, yn dadlau'n chwyrn dros hawliau rhyw foi bach doji yn y doc. Drama'r sefyllfa oedd yn apelio, wrth reswm, a byddai'r realiti, mae'n debyg, wedi bod yn dra gwahanol i'r ffantasi. Ro'n i 'di bod yn gwylio gormod o raglenni teledu megis *Crown Court*!

'Cerddoriaeth amdani, 'ta,' meddyliais. Roedd y dewis yn anorfod, mae'n siŵr. Bangor, Caerdydd a Chaer-grawnt oedd fy newisiadau o ran colegau. Mae'n rhaid i mi bwysleisio nad fy syniad i oedd gwneud cais am Gaer-grawnt. Dwi'm yn ama nad oedd Mam wedi cael y syniad rhamantus yma i'w phen o gael un o'i phlant yn astudio yn 'Cambridge'. Un o rinweddau cymeriad Mam oedd ei chred bod unrhyw beth yn bosib yn yr hen fyd 'ma.

'Siân, the world is your oyster – remember that!' oedd ei mantra i mi gydol fy mhlentyndod, ac o ganlyniad i'r diffyg cefnogaeth gafodd hi ei hun yn ystod ei hieuenctid, tywalltwyd pob diferyn o gefnogaeth arna i. Ac mi fyddaf yn fythol ddiolchgar iddi am hynny.

Mi es gyda'r llif, fel petai, er bod 'na lais bach yn fy mhen yn deud, 'Yeah . . . right!' Cofiaf fynd am fy nghyfweliad yng Nghaer-grawnt a theimlo ar y daith tuag yno fod y lle ym mhen draw'r byd. O dipyn i beth meiriolais ryw fymryn bach wrth i mi drochi fy hun yn awyrgylch hyfryd y lle a chael fy hudo gan yr ymdeimlad ysgolheigaidd dyrys yn ffrwtian o nghwmpas i. Dotiwn at y gerddi a'r gwrychoedd taclus, y grisiau gwichlyd a'r ogla pren a lledr. Cinci, 'ta be?!

Serch hynny, ro'n i fel pysgodyn allan o ddŵr yn y fath le. Ar ôl cyfweliadau digon cyfeillgar a chael cyfle i ganu a dangos fy ffolio o gyfansoddiadau, ces fy nhywys i ystafell un o benaethiaid y coleg i gael 'sgwrs'. Ar ôl dechreuad digon diniwed, gofynnodd,

'Do you speak Welsh?'

'Yes, I do,' medde fi a gwên falch.

'Are you a Welsh Nationalist?' Lluchiodd honna fi'n llwyr. Oedais am eiliad, a datgan efo golwg go amheus ar fy wyneb,

'Well, I'd certainly like to see independence for Wales, yes.'

'Really? So tell me, what's your opinion of this notion of wanting bilingual road signs?'

Daeth y cwestiwn fel bollt. Atebes mor gryno ag y gallwn a sôn rhywbeth am hawliau siaradwyr Cymraeg i gael arwyddion dwyieithog, o leia, yn eu gwlad eu hunain.

'So, tell me, do you think that the Urdu-speaking community in Birmingham should have *their* roadsigns in *their* language?' Es inne mlaen i ddadlau nad o'n i'n gweld problem efo hynny chwaith pe bai 'na ofyn am arwyddion felly yn Birmingham, ond bod yna wahaniaethau sylfaenol, onid oedd, rhwng y ddwy sefyllfa?

Fedrwn i ddim credu'r peth! Dyma fi yn un o ganolfannau addysg gorau'r byd yn gorfod cyfiawnhau fy Nghymreictod ac yn cael dadl ddigon annifyr efo un o ddeoniaid y coleg am y frwydr (oedd, ar y pryd, yn dal heb ei hennill) i gael arwyddion dwyieithog! Wrth drafod y peth efo Mam a Dad ar y ffordd adre daethpwyd i'r canlyniad mai trio fy ngwylltio roedd o, ac efallai hyd yn oed roi fy sgiliau dadlau ar brawf. Dwn 'im, ond yn sicr roedd o'n brofiad annifyr. Mae un peth arall yn sicr – go brin y byddai'r deon wedi gofyn i Felicity o Cheltenham be oedd ei daliadau gwleidyddol hi!

Er mawr syndod i bawb mi ges fy nerbyn, a'r gofynion Lefel A yn ddau A a B. Erbyn i'r llythyr hwnnw gyrraedd

roeddwn eisoes wedi fy nerbyn i Fangor, gyda chynnig
diamod fwy neu lai.

Grêt – dim preshyr! Ro'n i wrth fy modd.

'Bangor amdani, 'ta!'

Coleg

Dwi'm yn amau nad fi oedd un o'r rhai cynta yn y teulu i fynd i brifysgol, ac ro'n i'n fwrlwm o emosiynau gwahanol: cynnwrf, ofn, balchder, hapusrwydd, amheuaeth a thristwch.

O'n i'n barod am hyn? Do'n i'n sicr ddim isio gadael fy llofft fach blode pinc a chysur y cocŵn teuluol. Do'n i ddim isio ffarwelio â ffrindie bore oes a chysur dibynadwy'r ysgol uwchradd, a mynd i ganol dieithriaid oedd yn siŵr o neud hwyl ar ben fy acen! Ar y llaw arall roedd y dynfa'n gref i hedfan o'r nyth a phrofi bywyd y tu allan i'r filltir sgwâr. Oedd, roedd yr amser wedi dod!

Mam oedd yn fy ngyrru i yno yn yr hen Volvo coch, a hwnnw wedi'i lenwi hyd at y to. Wrth edrych yn ôl ar y diwrnod hwnnw a chofio cynnwrf Mam ar y siwrne i Fangor, ac o wybod rŵan am yr anawsterau iechyd a ddaeth i'w rhan yn y blynyddoedd wedyn, fedra i ddim ond teimlo edmygedd di-ben-draw tuag ati am fod mor anhunanol yn ei hymateb i'r sefyllfa – wedi'r cyfan, roedd y cyw melyn olaf yn hedfan o'r nyth. Ond roedd Lloyd wedi dychwelyd adre erbyn hynny ac wedi sefydlu ei fusnes ei hun ar dir Bryntanat, felly mae'n debyg nad oedd yr ysgytwad cweit mor hegar.

Serch hynny, dwi wedi meddwl tipyn tybed sut roedd hi'n teimlo go iawn y diwrnod hwnnw. Mae gen i lun yn fy nghof ohonof yn wafio'n dila arni o ddrws JMJ, a'r dagrau'n powlio i lawr fy ngruddiau. Hithau yn y Volvo yn wafio'n ôl a chlamp o wên fawr falch ar ei hwyneb, a dim un deigryn ar ei bochau – ddim i mi weld, beth bynnag. Mae'n rhaid ei bod hi'n browd iawn o'i lodes fach! Ond aeth hyn i gyd dros fy mhen i ar y pryd, wrth gwrs, a dim ond yn nhreigl y blynyddoedd a minne'n debygol o wynebu'r un sefyllfa gyda fy meibion fy hun, y mae realiti'r sefyllfa wedi fy nharo.

Roedd yn rhaid rhannu stafell yn y flwyddyn gynta, a'm cyd-letywraig oedd lodes o'r enw Bethan a fu'n gwmni tawel a diwyd gydol y flwyddyn. Cymeriadau gwahanol iawn i Bethan ddaeth yn ffrindiau agos i mi dros y dyddiau a'r wythnosau nesa. Gyferbyn â'n stafell ni roedd Angharad Erfyl, rownd y gornel roedd Llinos Wynne, ac ar hyd y coridor i'r chwith roedd Gwenan Griffith, Iola Owen, Marged Ifans, Eleri Ogwen, Llio Rowlands a Bethan Williams – neu Beth Pync fel buon ni'n ei galw am gyfnod byr! Erys ein cyfeillgarwch yn gryf hyd heddiw, 'through thick and thin' fel byddan nhw'n deud.

Ffenomen ddiddorol ydi'r busnes selio cyfeillgarwch yma, yntê? Yn ein hachos ni, dwi'n meddwl mai cyfrinach cadernid ein cyfeillgarwch oedd y gymysgedd liwgar o rinweddau a ffaeleddau oedd 'na yn y criw – nodweddion a lanwodd y pedair blynedd fuon ni ym Mangor â llond trol o hwyl, chwerthin, sterics a drama!

Aeth wythnos y Glas heibio mewn corwynt o chwerthin ac alcohol. Dychrynais braidd o weld yr holl gwrw a lifai i lawr corn-gyddfau fy nghyfoedion coleg. Doedd yfed erioed wedi bod yn rhywbeth blaenllaw yn fy mywyd i na'm ffrindie 'nôl adre – yn sicr doedd meddwi'n dwll ddim yn rhywbeth ro'n i'n ben set ar ei brofi. Unwaith eto, roedd Mam a Dad wedi bod yn feddwl agored iawn yn eu hagwedd at y ddiod gadarn, a byddai Lloyd a finne'n cael glasied o win efo cinio dydd Sul o oedran lled ifanc.

Ond rhag ofn i mi roi camargraff, buan iawn y dois i i mewn i'r swing, fel petai, ac mae'r atgofion am nosweithiau meddwol mewn llefydd fel Plas Coch, Glanrafon a'r Dicsi yn y Rhyl yng nghwmni ffrindie coleg yn rhai dirifedi a melys dros ben. Heblaw am y pen mawr y bore canlynol . . .

O dipyn i beth, dechreues ffeindio nhraed a theimlo'n fwy hyderus yn rhedeg 'nôl a mlaen rhwng JMJ a'r Ganolfan Gerdd a choridorau a grisiau atseinllyd y prif adeilad. Yn fuan iawn daeth y cyfan i deimlo fel ail gartref i mi.

Cofiaf eistedd yn un o'r darlithoedd cynta a'm cael fy hun y drws nesa i foi hynod gyfeillgar a siaradus o Dreorci. Un o blith y criw helaeth ddaeth i fyny o Ysgol Gyfun Rhydfelen oedd o, a gwyddwn o'r eiliad ddechreuon ni sgwrsio y bydden ni'n ffrindie agos. Geraint Cynan oedd y gŵr ifanc hwnnw a dwi'n hynod o falch fy mod yn llygad fy lle gyda'r broffwydoliaeth, gan ein bod wedi dal i fod yn ffrindie pennaf hyd heddiw. Doeddwn i rioed wedi dod ar draws neb mor gerddorol â Geraint. Roedd ei wybodaeth gyffredinol am gerddoriaeth yn fy llorio'n gyson, heb sôn am ei allu i roi synnwyr a strwythur i bethe cerddorol oedd yn amal yn gneud i mhen i droi.

Dwi'n cofio eistedd wrth ei ochr yn yr hen sinema gyferbyn â'r British Hotel, yn gwylio *Elephant Man*. Yn un o olygfeydd mwya dirdynnol y ffilm llenwid y sinema â cherddoriaeth fendigedig i bwysleisio tristwch ysgytwol y stori, a dechreues feichio crio.

'Oh my God, Cynan, dyna'r miwsig mwya gorjys dwi rioed wedi'i glywed yn fy mywyd . . .'

Pwysodd Geraint draw tuag ata i a datgan yn dawel,

'Mmmm . . . "Adagio for Strings", Samuel Barber. Hyfryd, yn tydi?'

Roedd ganddo allu rhyfeddol hefyd i daro unrhyw nodyn heb orfod meddwl dim amdano – roedd yn meddu ar draw perffaith ('perfect pitch'). O ganlyniad i'r gallu hwnnw, yn ei flwyddyn gynta cyfeirid ato gan y rhai llai goleuedig yn ein plith fel Geraint PP!

Roedd ufflon o griw da o gogie yn ein blwyddyn ni a daethant yn rhan o'n giang ni'r merched yn fuan iawn: Gareth Ioan, Keith Bach, Rhodri Tomos a Geraint Cynan. Fedrwch chi weld rŵan lle mae'r clwstwr yma o enwau yn mynd â ni?! Ie, i'r rhai hynny sy'n cofio'r wythdegau cynnar, dyma'r eginyn a dyfodd yn Bwchadanas – y bechgyn uchod, Llio Rowlands a finne.

*Tad-cu Llan-non
(tad fy mam)
a'i fam yntau*

*Nain Sowth
(mam fy mam)*

Taid a Nain Gardden (rhieni fy nhad) ar ddiwrnod eu priodas

Yncl Joe a Mam yn eu lifrai
Sgowts a Brownies

Anti Luned a Dad yn Ysgol Cwm
(sylwch ar sgidie
hoelion Dad – bechod!)

Mam (yr ail o'r chwith) efo teulu Gyfylche, Llanerfyl, yn 1945

Plant y Gardden yn 1954! Eu mam (fy hen nain) yn bumed o'r chwith,
a Taid ar y chwith eitha

Mam yn edrych yn 'glam' iawn ar
blatfform gorsaf drenau Carno

Yncl Joe (brawd Mam) yn ystod
ei gyfnod yn y Llynges

*Mam a Dad mewn cyngerdd, yn edrych yn fyfyrgar iawn, a Mam â'i ffag
arferol yn ei llaw!*

*Lloyd (fy mrawd) yn tynnu am ei
saith oed yn Ysgol Llanerfyl, jest cyn
iddo fynd i ffwrdd i Ysgol Abermad*

Finne'n bedair oed

Yr eisteddfodwraig frwd –
yn saith oed yn Eisteddfod Hen
Gapel Llanbryn-mair

Margot Fonteyn Llanerfyl

'Sports Day' yn Ysgol Abermad – fi ar lin Lloyd, Mam ar y dde,
a 'Miss Rŵm Fech' a 'Miss Rŵm Fawr' rhyngom

*Ein cartre, Bryntanat,
yn ei holl ogoniant!*

*Fy annwyl Mrs Roberts, fyddai'n
gofalu amdanom fel teulu, yn
smwddio yn y gegin yn Bryntanat*

*Taid a Nain Gardden ym mhriodas
eu merch Eirwen*

'I am sixteen going on thirty-six!'

Y triawd telynau – fi â golwg ddiflas reit arna i, Mrs Ffranses Môn Jones yn brydferth fel arfer, ac Ieuan yn edrych yn ciwt dros ben

Y Gwerinwyr Bach – fi wrth yr Angelica, Vivien, Mrs Arthur Thomas, Mirain, Awel, Nerys, Ieuan, Helen Peate, Jayne, Helen Morris, Eleri, Delyth a Ffranses Môn

Hen ffrindie ysgol – fi, Janet Tynewydd, Gwenan Pont ac Enid Tynewydd Gosen

Efo fy nghyd-actorion yng nghynhyrchiad Cwmni Theatr yr Urdd o Trystan ac Esyllt. *Geraint Cynan sydd wrth f'ochor i. Fedrwch chi sbotio'r enwogion?!*

Bwchadanas ar draeth Llandudno – Keith Bach, Rhodri a Gareth Ioan
(yn edrych fel 'se nhw wedi starfio'n fyw), fi, Geraint, Llio a Rhys

Ffrindie coleg – Angharad, Gwennan, Bethan, Marged,
fi (yn gwenu'n hurt yn ôl fy arfer), Iola, Llio, Llinos ac Eleri

Llio a fi'n trio hedfan yn JMJ.
'Eryr, eryr Eryri . . .!'

Fy swydd gynta – hyrwyddo
Mici Mows! Declan o
Enniskillen a fi yn ein
gwisgoedd naff yn Fflorida

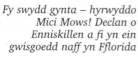

Gwyn a finne heb unrhyw ofid yn y byd!

Earl and Countess of Lisburne at Home, aug 9th 1923.

Anhygoel, 'ta be?! Llun wedi'i dynnu yng Ngheredigion yn 1923, lle gwelir fy
hen fam-gu i (nawfed o'r chwith yn y rhes lle mae'r plentyn),
a'r tu ôl iddi, hen dad-cu barfog Gwyn!

Y sbês cadet yn eistedd uwchben un o'r cylchoedd ŷd ger Avebury yn 1991

Y cogie bech ar ben boncyn y Gardden: Llywelyn Alban, Gwern Wiliam a Mabon Erfyl – ap Gwyn!

Mabon a Gwern yn dynwared Ffarmwr Ffowc

Llywelyn, 'y còg ianga', efo Dad

Fi heb aeliau ar gyfer y CD o'r gyfres Birdman *– yr 'ethereal look'*
fondigrybwyll

Hapus dyrfa, yn cynnwys criw'r band fel yr oedd ddegawd yn ôl. Rownd y bwrdd: fi, Gwern ar lin Gwyn, Stephen Rees y tu ôl i'r ddau, Henry Sears, Robin Hames, Geraint Cynan, Tich Gwilym, ein hannwyl Naini (mam Gwyn) a Mabon

*Parti Cut Lloi yn ennill y gystadleuaeth i bartïon gwerin yn y Steddfod
Genedlaethol ym Meifod yn 2003 – a hynny ar y cynnig cynta!*

Tylwyth y Gardden, Mehefin 2011

Bwchadanas

Pan ddechreues i ym Mangor roedd gen i ffantasi ynglŷn â chychwyn band roc, ac ym mhreifatrwydd fy meddyliau byddwn yn gweld fy hun yn bwrw iddi yn fy nhrwsus lledr yn hed-bangio i gân roc a rôl . . .

Wel, mi ges i'r trwsus lledr, ond yr agosa fues i at hed-bangio oedd sgrechian 'Tarw Scotch' i lawr y meicroffon!

Ddaethon ni at ein gilydd yn 1981 ar gyfer y Steddfod Ryng-golegol yn Aberystwyth. Mae'n debyg nad oedd neb yn cystadlu ar y gân werin gyfoes, felly cynigiodd Gareth Ioan ein bod ni fel criw o ffrindie'n rhoi rhywbeth at ei gilydd. Enw'r band oedd Glyndŵr a'r gân oedd 'Eryr Eryri' – y geirie gan Gareth a'r gerddoriaeth gan Geraint Cynan. Bu'n steddfod gofiadwy, gan i mi brofi am y tro cynta pa mor ffyrnig oedd yr elfen gystadleuol rhwng y colegau, ac Aber a Bangor yn enllibio'i gilydd am y gorau drwy'r nos. Enillodd Bwchadanas (wel, mi fasa wedi bod yn destun embaras cael unrhyw beth arall a neb yn cystadlu ein herbyn ni!) ac enilles inne ar yr unawd merched yn canu 'Gweddi Pechadur', oedd yn brofiad tra gwahanol o ystyried y math o ganu ro'n i wedi arfer efo fo.

Dyfalaf mai yn sgil llwyddiant y Rhyng-gol y daeth y gwahoddiad i gyfrannu at LP werin amlgyfrannog i Sain rai wythnosau'n ddiweddarach. Heblaw am recordio'r gân 'Dyma Rodd' ro'n i wedi'i chanu yn sioe gerdd *Jiwdas* 'nôl yn y saithdegau, a hynny yn ffermdy Gwernafalau cyn i stiwdio

Sain gael ei hadeiladu, doedd 'run ohonon ni wedi cael y profiad o recordio mewn stiwdio o'r blaen. Luchion ni at ei gilydd dri threfniant o ganeuon ro'n i eisoes wedi bod yn eu canu gyda'r delyn, sef 'Robin Ddiog', 'Hen Ferchetan' a 'Ffarwél i Langyfelach Lon', a dyna'r cofnod cynta o gynnyrch Bwchadanas. Syniad Gareth Ioan oedd yr enw, gyda llaw, sef gair tafodieithol o'r de am garw!

Roedd ein gìg swyddogol gynta y noson ar ôl Rali Cofio Merthyron Abergele i gofnodi marwolaeth dau hogyn ifanc a laddwyd gan fom a ffrwydrodd yn gynamserol fore'r Arwisgo yn 1969. Fuon ni'n cerdded yn y rali yn y bore, a chofiaf deimlo'n hynod anghyffforddus wrth i'r hyn feddylien ni oedd yn heddlu cudd syllu arnon ni'n fygythiol o'r cyrion.

Ar gyfer y gìg y noson honno mi lunion ni ryw fath o raglen â blas Noson Lawen iddi. Yn ogystal â'r caneuon y buon ni'n eu canu ar gyfer y recordiad yn Sain – ynghyd ag 'Eryr Eryri', wrth gwrs – mi ganes inne ddyrnied o ganeuon gwerin efo'r delyn, a chwaraeodd Llio fersiwn o un o alawon enwoca Alan Stivell ar ei thelyn fach, a bwriodd Keith iddi gyda'r adroddiad 'Y Dyn Perffaith'. Cawsom ymateb digon ffafriol er mawr ryfeddod i ni i gyd, a chodwyd awydd ynom i neud mwy o hyn. Ac felly y cychwynnodd cyfnod aruthrol o brysur yn cynnal cyngherddau ar hyd a lled y wlad trwy gydol blynyddoedd coleg.

Yn 1981, a'r Eisteddfod Genedlaethol ar fy stepen drws ym Machynlleth, fe benderfynon ni gystadlu yng nghystadleuaeth y bandiau gwerin yn y Babell Roc. Hon hefyd oedd y Steddfod pan benderfynes mai hwn fyddai'r tro ola i mi gystadlu mewn eisteddfodau. Roedd fy ngyrfa fel eisteddfodwraig wedi pontio dros bymtheg mlynedd a theimlwn fy mod wedi cael hen ddigon! Am resymau amlwg, ro'n i'n bryderus iawn ynglŷn ag ymateb Mam, ond chwarae teg iddi, derbyniodd y sefyllfa'n synhwyrol iawn a deud yn blwmp ac yn blaen,

'You're old enough now, Siân, to make your own decisions!' Gwir bob gair, wrth gwrs, ac mae'n siŵr mai ymdrech fach ddigon petrus oedd hi ar fy rhan i i sefyll ar fy nhraed fy hun a gneud penderfyniadau fyddai'n fy siwtio i yn hytrach na phobol eraill.

Enillais ar y gân werin ym Machynlleth ac enillodd Bwchadanas hefyd ar y gystadleuaeth band, felly rhwng hynny a threulio'r wythnos mewn carafán gyda fy ffrindie coleg, bu Steddfod Machynlleth yn un gofiadwy dros ben!

Erbyn ein hail flwyddyn yn y coleg, roedd Rhys Harries wedi ymuno â'r band pan ddaeth yntau i'r coleg yn Hydref '81. Gyda chyfraniad Rhys a'i ganeuon gwreiddiol, troediodd Bwchadanas lwybr cyffrous y byd canu gwerin cyfoes ac agorwyd drysau newydd sbon i ni. Cynyddodd y cyngherddau ac ehangwyd ein set gyda chaneuon fel 'Jipsi', 'Tarw Scotch' a 'Ceidwad y Meistri', a datblygwyd dilyniant calonogol yn ystod y flwyddyn. Pan lansiwyd S4C ym mis Tachwedd 1982, mi fydden ni'n perfformio'n gyson ar raglenni fel *Taro Tant*, *Yng Nghwmni*, *Trannoeth y Ffair* ac yn y blaen.

Ond tipyn o chwalfa oedd ein hymddangosiad cynta ar deledu Cymraeg, mae'n rhaid cyfaddef! Daeth gwahoddiad gan Huw Jones a Theledu'r Tir Glas i ganu ar gyfres newydd oedd yn cael ei ffilmio yn Theatr Ardudwy, Harlech. Pan gyrhaeddodd y diwrnod mawr roedd pawb wedi cynhyrfu'n lân! Hanner awr wedi deg y bore roedden ni i fod yno, ond yn unol â thueddiadau pobol 'arti-ffarti uffer', roedden ni'n hwyr! Bu Geraint Cynan, Rhys, Rhodri a Keith Bach yn aros amdanon ni'n amyneddgar yn y car tu allan i JMJ am yr hyn a deimlai fel oes, mae'n siŵr. O'r diwedd anfonwyd Rhodri i weld be aflwydd oedd yn digwydd ac er mawr sioc iddo fo, dyna lle ro'n i'n dal i sychu fy ngwallt, Llio wrthi'n hysterical yn trio penderfynu be i'w wisgo, a Gareth Ioan yn dal i rochian cysgu yn ei wely! Gyda chryn drafferth y llwyddwyd i adael JMJ a mynd fatha pethe ddim yn gall tuag at Harlech.

Dwi'n dal i gofio'r awyrgylch annifyr wrth i ni gerdded i mewn i'r theatr dros awr a hanner yn hwyr – sefyllfa gwbwl anfaddeuol, a deud y gwir! Ond ar fy ngwaetha, fedra i ddim peidio â chwerthin wrth gofio'r golwg 'sheepish' oedd ar ein hwynebau ni i gyd, a Huw Jones, chwarae teg iddo, yn gwneud ymdrech lew i beidio â cholli'i limpin yn llwyr efo'r bali stiwdants chwit-chwat a safai o'i flaen! Mewn difri, mi fasa hon wedi medru bod y cynta a'r ola o'n hymddangos-iadau ar deledu Cymraeg, ond chwarae teg i Huw Jones, mi gawson ni faddeuant yn ogystal â chyfleon di-ri mewn cyfnod pan oedd cerddoriaeth a rhaglenni 'light ent' yn rhan bwysig o gynnyrch S4C.

Rhyfeddaf ein bod wedi cael amser o gwbwl i neud ein gwaith coleg o ystyried yr holl bethe allgyrsiol wnaethon ni gydol y blynyddoedd hynny, a chofiaf gyda pheth annifyrrwch fy mhresenoldeb cyson yn llyfrgell JMJ am bedwar y bore yn trio cwblhau rhyw gyfansoddiad neu'i gilydd erbyn y ddarlith y bore wedyn!

Un tro cawsom wahoddiad i ganu ar raglen *Yng Nghwmni* gyda Dafydd Iwan ac Ar Log, a'r gwestai arbennig oedd Alan Stivell, er mawr gyffro i ni. Stivell oedd un o sêr mwya'r byd roc gwerin, ac yn arwr i mi yn sicr ers sawl blwyddyn.

Rywsut roeddwn wedi cael gafael ar yr LP *Reflets*, ac wedi fy hudo gan wreiddioldeb ei driniaeth o gerddoriaeth draddodiadol. Cofiaf eistedd yn y gadair gyfforddus yn yr ystafell goluro yn teimlo'n gynhyrfus reit, a'r ferch goluro yn gofyn imi'n garedig,

'Tisio rhywbeth dipyn bach mwy glam na'r arfer?' Lodes browns a llwyd ydw i o ran colur fel arfer ond y diwrnod hwnnw, a chynnwrf y foment wedi cydio go iawn, cytunes i gael y wyrcs, fel petai! Caeais fy llygaid a mwynhau'r maldod. Ymhen dim agorais fy llygaid yn gysglyd i weld lodes ddieithr iawn yn y drych, a bu'n ymdrech fawr i beidio â sgrechian mewn arswyd! Roedd y llygaid yn drwm o liwiau llachar a'm gwefusau cochion cystal bob tamaid â rhai Diana Dors! Edrychai fy ngwallt fel rhywbeth y byddai Dolly Parton yn falch ohono, a'r unig beth ar goll oedd y bronnau pyramidaidd!

'Lyfli . . . diolch,' medde fi'n amheus a cherdded yn betrusgar at weddill y criw. Yr unig beth glywes i'n atseinio yn fy nghlustiau oedd y bonllefau o chwerthin a ddeuai o gegau'r cogie.

'Iesu, ti'n edrych fatha hwran . . . Ha, ha, ha . . .'

'Wel diolch yn fawr, fechgyn,' atebes drwy nannedd. Ond er gwaetha'r 'pantomine dame', aeth pethe'n dda a phawb wrth eu boddau.

Y noson honno aethom i lawr i fwyty yn yr Wyddrug a chael noson wych yn jamio efo Alan Stivell a chael yr hwyl ryfedda'n rhannu caneuon. Fi oedd yn gyrru adre yn ôl yr arfer, ac ar ddiwedd y noson stwffiodd pawb i mewn i'r Volvo coch a thorri pob rheol gorlwytho, mae'n siŵr. Gofynnodd Alan Stivell i mi am lifft i'w westy, ac er gwaetha'r ffaith fod y car eisoes yn rhy lawn, cytunes yn eiddgar. Wrth yrru'n orofalus ar hyd y ffyrdd roedd yr awyrgylch o barchus dawelwch yn gyffyrddadwy bron, ac wrth edrych yn fy nrych a gweld wyneb tylwyth tegaidd Stivell yn sbio 'nôl arna i, fedrwn i ddim coelio bod un o'm harwyr cerddorol yn eistedd rhwng Rhys Harries a Geraint Cynan yng nghefn fy nghar!

Yn sydyn, sylwes fod arogleuon llethol wedi dechrau troelli o gwmpas y car. Roedd rhywun wedi taro ufflon o rech ddrewllyd!

'Wel y diawled!' meddwn i'n 'disgusted' i gyd wrth y cogie. 'P'run ohonoch chi, dacle, sy 'di taro rhech?'

Atebodd Rhys mewn llais fflat,

'Ie . . . wel . . . dyw'r sawl sy'n euog ddim yn siarad Cymraeg.'

Yna, o'r bŵt, medde Gareth Ioan yn dawel,

'Ym . . . ydi . . . mae o!' Sbies eto yn y drych a gweld gwên ddireidus yn lledu ar draws wyneb Alan Stivell oedd wedi deall pob gair a ddywedwyd! Hysterics o chwerthin yn y car ar y ffordd 'nôl wedyn, a phawb yn cytuno mai fy 'claim to fame' fyddai fod Alan Stivell wedi taro rhech yn fy nghar, a honna'n un uffernol o ddrewllyd!

Yn 1982 trefnodd yr hogie daith o amgylch Cymru, ac i gyd-fynd â'r daith honno recordion ni sengl ar ein label ein hunain – rhywbeth go brin yn y dyddie hynny. 'Eryr Eryri' a 'Tarw Scotch' oedd y ddwy gân arni, a llun o'r arwydd ffordd hwnnw sy'n rhybuddio bod ceirw ar y ffordd ar flaen y record!

Aeth y daith â ni i Glwb y Bont ym Mhontypridd, Clwb Ifor Bach, Clwb Gwerin Ynys Ddu yng Ngwent, i Aberystwyth, Blaenau Ffestiniog, Rhydyclafdy ym Mhen

Llŷn a Bron Eryri, Llanberis, a gorffen yng Ngharno. Cyfnod roc a rôl go iawn, gyda lot o gysgu yn y fan yn ogleuon *piquant* traed drewllyd y cogie, ambell i sesh, a llond trol o chwerthin.

Yna, gwefr arbennig i ni oedd ennill gwobr y Prif Grŵp Gwerin yng ngwobrau blynyddol Sgrech, a hynny am dair blynedd o'r bron. Trefnwyd chwaneg eto o ganeuon gwerin, a chyfansoddwyd rhagor o ganeuon cofiadwy – 'Canrifoedd gyda'r Glaw' am yr ymgyrch ymprydio gan garcharorion yn ngharchar y Maze, 'Jig GI', 'Dewin' a 'Cariad Cywir'. Roedd hen ddigon o ganeuon ar gyfer albym erbyn hyn, ac o'r diwedd daeth yr LP a enwyd yn *Cariad Cywir* i fodolaeth – yr unig albym wnaethon ni gyda Sain, er mawr dristwch i mi.

Daeth aelodau newydd i ymuno â'r rhengoedd – Meredydd Morris, Owen Cob a Marc Cwn, a newidiodd y sain yn un fwy roc.

Daeth cyfleon euraid i ganu gyda Moving Hearts ar y gyfres *Trannoeth y Ffair*, ac yna cawsom wahoddiad i ymuno â nhw ar eu taith trwy Gymru fel grŵp cefnogi. Canu ar yr un llwyfan â Runrig mewn perfformiad yn y Mod, a chael cyfle wedyn ar ddiwedd ein cyfnod coleg i ganu'r chwe chân ar gyfer *Cân i Gymru*. Un band oedd yn gwneud y job y dyddie hynny, a'r gân enillodd oedd 'Ceiliog y Gwynt' gan Euros Rhys.

Fuon ni ar wibdaith wedyn i'r Ŵyl Ban Geltaidd yn Killarney, a chystadlu yn erbyn band ifanc o'r Alban o'r enw Capercaillie. Nhw enillodd y gân gyfoes a ni enillodd y gystadleuaeth werin, ac yn ystod yr wythnos honno fe ddaethon ni'n dipyn o ffrindie! Erbyn hyn, wrth gwrs, mae Capercaillie yn fyd-enwog, a Karen Matheson, eu prif leisydd, yn cael ei chydnabod fel un o brif gantoresau'r byd gwerin. Ei gŵr hi, Donald Shaw (allweddellwr y band), sydd bellach yn trefnu Celtic Connections yn Glasgow.

Ond cofiaf Ŵyl Killarney am reswm arall hefyd: rheswm tipyn mwy ysgytwol.

A minne yng nghanol miri'r ŵyl, mi ffonies adre i holi sut roedd Taid. Roedd o newydd gael ei gludo i'r ysbyty a ches wbod gan Mam mewn ffordd braidd yn ffwr-bwt ei fod o newydd farw. Er mod i'n gwbod nad oedd pethe'n edrych yn dda mi ges i ddiawch o sioc, ac yn naturiol ddigon fe gymerwyd y gwynt allan o'm hwyliau.

Y noson honno es i ngwely cyn pawb arall a gorweddian yno fel rhyw lo, yn rhythu'n ddagreuol ar y nenfwd. Yna, â'r sŵn chwerthin ar strydoedd Killarney yn cyrraedd rhyw grescendo manic, daeth cnoc ar y drws a Gareth Ioan yn sibrwd y tu allan i'r drws,

'Siani . . . wyt ti'n effro? Ti'm awydd codi a dod allan am dro efo fi?' A gyda chryn argyhoeddiad a doethineb fe'm perswadiodd mai'r peth gorau dan yr amgylchiadau fyddai mynd allan a chael homar o sesh. A dyna fu! Cafwyd noson wyllt arall yn clebran a chanu ac yfed; ces snog efo pishyn o'r enw Charlie, sef ffidlwr Capercaillie, a llwyddes gyda chymorth ffrindie i gael rhywfaint o ryddhad o realiti'r sefyllfa.

Y bore wedyn doeddwn i ddim ffit i ddreifio, a gyrrodd Owen y car at y porthladd yn Dún Laoghaire, chwarae teg iddo.

Lle faswn i heb ffrindie da, 'dwch?

Yn ystod fy mlwyddyn gynta yn y coleg y ces fy ngherdyn Equity. Roedd cael cerdyn Equity yn medru agor drysau newydd i berfformiwr ifanc, ac mae'n deg deud na faswn i wedi llwyddo i'w gael o heb gefnogaeth Wil Aaron, sylfaenydd Ffilmiau'r Nant. Ces gynnig rhan gan Wil yn un o ddramâu dogfen y gyfres *Almanac*, drama'n adrodd hanes Mendelssohn yn ymweld â Chymru. Yn sgil y gwaith hwnnw aeth Wil ati i sicrhau y byddai fy nghais am gerdyn yn llwyddiannus.

Rhaid cyfaddef nad oedd y llwybr tuag at fy mhrofiad cynta o 'actio' ar S4C yn un rhwydd, chwaith, ac unwaith eto mi ges i wers galed ar sut i ymddwyn yn broffesiynol!

Ar y nos Sul cyn i mi ddechrau ffilmio ym Mhlasty Nanteos, ro'n i'n canu'r delyn mewn priodas leol a fy modryb Dwynwen yn chwarae'r organ. Er bod gan y cwpwl canol oed gysylltiad â'r ardal, doedden nhw ddim yn hanu o'r dyffryn, a daeth yn amlwg inni'n fuan mai priodas posh iawn iawn oedd hon! Ar ôl y gwasanaeth aeth Anti Dwynwen, Yncl Tom, ei gŵr, a minne'n ôl i'r *marquee* fel gwahoddedigion a chael gwledd o fwyd a diod. Dydi'r fath beth ddim yn anghyffredin y dyddie hyn, ond bryd hynny teimlai fel petai un o'r teulu brenhinol yn priodi!

Y bwriad ar ddiwedd y wledd oedd i'r tri ohonon ni ganu am ein swper, fel petai, a rhoi mymryn o berfformiad i'r gwahoddedigion eraill. Er bod y croeso'n wresog dros ben, teimlem braidd fel act syrcas o flaen y dorf o fyddigions, wrth inni fwrw iddi efo 'Deio Bach' a chaneuon cyffelyb. Trawodd y gigls ni (yn ôl arfer y Jamesied) sawl gwaith yn ystod y perfformiad, ac erbyn diwedd y noson a ninne wedi canu nes oedden ni'n groch ac wedi yfed siampên nes oedden ni jest â merwino, daeth yn amser troi am adre. Gydag Yncl Tom yn ceisio dangos ffordd amgenach i mi ddychwelyd er mwyn osgoi'r ffordd fawr, a hynny ar hyd lonydd troellog mynyddig a ymdebygai i berfedd mochyn, ac Anti Dwynwen ar ben y delyn yng nghefn y car yn dal i forio canu, mi gyrhaeddon ni adre'n saff.

Y bore wedyn daeth Mam i mewn i'r llofft a darganfod fy mhen yn ddwfn yn y sinc yn twlu fyny'n swnllyd.

'Be sy'n bod arnat ti?'

'Dwi'n sâl . . . sâl . . . gormod o siampên!'

Roedd fy ngalwad ar gyfer y ffilmio yn Aberystwyth am ddeuddeg o'r gloch, a gwyddwn nad oedd unrhyw obaith y medrwn yrru yno fy hun.

'O mai God, Mam – be 'na i? Fedra i'm bod yn hwyr i fy job actio gynta ar S4C.'

'Paid poeni,' meddai Mam, fel petai ar fin trefnu manŵfyr militaraidd. 'Mi a' i â ti!'

Ac felly, a minne'n gorweddian yng nghefn y car yn edrych fel drychiolaeth, aeth mam â fi i Nanteos. Llusges fy hun o'r car fel slywen lwyd ac wrth gau drws y car, medde Mam a hanner gwen ar ei hwyneb,

'Siani . . . let this be a lesson for you!'

'Diolch, Mam.'

Cerddes tuag at y drysau mawreddog ac fe'm cyfarchwyd gan un o'r criw.

'Sorri os dwi 'bach yn hwyr . . . ym . . . o'n i'n canu mewn priodas ddoe ac, wel . . .'

'Aeth hi'n noson fawr, do? Ti'n edrych braidd yn "hung over",' medde hi wrtha i â gwên.

'Ym, wel ydw, deud y gwir.'

'Asu, paid â phoeni 'chan. Mae pawb yn "hung over" yma heddiw! A dydi hynna'n ddim byd newydd!'

Er bod yr atgofion o gyfnod coleg yn rhai da ar y cyfan –
profiadau amhrisiadwy gyda Bwchadanas, mwynhau a
datblygu fy hoffter o gyfansoddi gyda'r Athro William
Mathias, cael cyfle i ymwneud â'r Gymdeithas Ddrama
ac actio mewn dramâu fel *Excelsior* Saunders Lewis ac
Y Gwahoddiad gan William Lewis, cryfhau fy nhechneg
piano gydag athrawes biano'r coleg, Jana Frenklova –
rhywbeth sydd wedi bod yn gaffaeliad mawr i mi dros y
blynyddoedd; cariadon annwyl yn Gareth J.O. ac Einion
Dafydd, ac amser bythgofiadwy yng nghwmni ffrindie agos
wrth i ni dyfu i fyny gyda'n gilydd – teg deud nad oedd
pethe'n ffantastig a hynci-dori *trwy*'r amser!

Mi ges i lond llygad gan fflashyr un noson wrth gerdded
i fyny am JMJ. Byddwn yn cerdded ar hyd Ffordd y Coleg ar
fy mhen fy hun yn amal, heb feddwl ddwywaith. Ond y
noson honno, wrth gerdded yn gyflym trwy'r oerni a chwtsio
fy nghôt yn dynn amdanaf, gwelais drwy gil fy llygad fod
dyn yn sefyll o dan un o oleuadau'r stryd. Wrth i mi basio
heibio'n chwim camodd y dyn i'm llwybr o'r gwyll, ac yngan
rhywbeth tebyg i,

'Be ti'n feddwl o hon, 'ta?' – ac agor ei gôt yn ddramatig
o mlaen i. Digwyddodd hyn oll mewn fflach a weles i ddim
byd ond yr osgo a'r gôt, diolch byth!

Daeth blip bach arall i'm rhan yn yr ail flwyddyn pan fues
i'n agos at gael fy nhaflu allan o'r coleg. Roedd protestiadau
di-ri yn ystod y cyfnod hwn wrth i'r myfyrwyr geisio
gwyrdroi sefyllfa ieithyddol annerbyniol y coleg. Un o'r
protestiadau hynny oedd blocio'r cwad er mwyn rhoi stop
ar fynd a dŵad o'r coleg. Dim ond dyrnaid ohonan ni oedd
yn berchen car ac roeddwn i'n un ohonyn nhw. Gofynnwyd

i mi yn un o gyfarfodydd yr undeb (UMCB) a fyddwn i'n fodlon parcio nghar ym mhorth y coleg ynghyd ag un neu ddau arall. Cytunes yn syth gan mod inne fel pawb arall yn teimlo'n gryf dros yr achos – er, dwi'n cyfaddef mai tipyn bach o 'reluctant terrorist' o'n i, a deud y gwir! Ond mi barcies y Volvo coch yn ufudd yn y lle priodol a fferru yno drwy'r dydd yn gweiddi sloganau protest yn daer.

Yn ystod yr wythnos ganlynol ces lythyr gan awdurdodau'r coleg yn fy ngorchymyn i ymddangos o'u blaenau er mwyn derbyn fy nghosb am fy rhan yn y brotest. Y broblem oedd, roeddwn ar fy ffordd i Baris ar union ddiwrnod y gwrandawiad a hynny gyda'r bardd Gwyn Thomas, uwch-ddarlithydd yn Adran y Gymraeg. Roedden ni'n dau wedi cael gwahoddiad i ymddangos yn Theatr Pompidou – Gwyn yn darllen ei farddoniaeth a minne'n canu gyda nhelyn. Gresyn fyddai colli cyfle mor euraid, felly es at fy warden yn neuadd JMJ, John Llew, a gofyn am gyngor. Edrychodd arna i a golwg ddifrifol iawn ar ei wyneb, ac meddai'n seriws i gyd,

'Mae hyn yn ddifrifol iawn, Siân. Ydach chi'n sylweddoli y medrai'r coleg eich diarddel os nad ewch chi i'r cyfarfod?'

'Be . . . 'yn lluchio fi allan?' Fedrwn i ddim coelio be o'n i'n ei glywed!

'Ond peidiwch â phoeni, mae Gwyn [Thomas] a minne'n gytûn na ddyliech chi golli'r cyfle, felly ddudwn ni eich bod wedi gadael am Baris cyn eich bod wedi derbyn y llythyr gorchymyn. Iawn?'

'Ym . . . ydi . . . Ew, diolch i chi, John Llew!'

'Y broblem ydi, mae'n rhaid i chi adael heno neu fydd y cynllun ddim yn dal dŵr. Fedar NEB eich gweld chi, cofiwch.'

'Mi ddaw mrawd i moyn fi, dwi'n siŵr.'

A dyna fu! Galwad adre i esbonio pob dim, pacio fy nghês yn sydyn, aros yn y tywyllwch i Lloyd gyrraedd, a swatio'n isel yng nghefn y car cyn sgrialu o 'na fel ffoadur!

Straeon digon ysgafn yw'r rhain wrth gwrs, ond mi lwyddodd un peth i sarnu rhywfaint ar fy mhrofiadau colegol, a hynny oedd fy mherthynas anodd â bwyd. Faswn i ddim yn mynd mor bell a'i alw fo'n anorecsia na bwlimia gan na 'nes i mo fy hun yn sâl erioed, ond yn sicr mi o'n i'n f'amddifadu fy hun o brydau call ac roedd peidio bwyta drwy'r dydd yn rhywbeth cyffredin iawn. Mi rois i bwysau mlaen yn ystod fy mlwyddyn gynta fel y gwna'r rhan fwya o stiwdants. I mi, roedd hwn yn brofiad newydd gan fod fy mhwysau wedi bod yn eitha cyson ar hyd fy mywyd. Ond gyda'r newid byd, y diffyg ymarfer corff (rhywbeth roeddwn wastad yn ei fwynhau), y tecawês Ying Wah ym Mangor Ucha ac, wrth reswm, yr alcohol, newidiodd cydbwysedd fy nghorff. Yng ngeirie fy annwyl ewyrth John Ellis, Foeldrehaearn, pan alwes i'w weld o ac Anti Glenys ar wibdaith adre ryw benwythnos,

'Myn diaw! Ti'n edrych yn ddê, lodes. Ti 'di pesgi'n y coleg 'na!'

'Oooo . . . diolch, John Ellis!' atebes, yn trio gwenu. Peth positif iawn oedd hyn, wrth gwrs, i genhedlaeth a edrychai ar ferched tenau fel arwydd eu bod yn wantan! Ond tyfodd y poeni am fy mhwysau yn rhywbeth blaenllaw yn fy mhen a bu'n frwydr gyson o'r ail flwyddyn ymlaen. Wrth edrych 'nôl ar luniau o'r cyfnod, gwelaf na fues i rioed yn dew go iawn, a fues i rioed chwaith yn denau fel rwcsen er gwaethaf yr amddifadu o fwyd, ond mae'n rhyfedd sut mae'r meddwl yn medru lliwio'r hyn welwch chi yn y drych i siwtio sut ydach chi'n teimlo.

Dwi'n amau bod fy ffrindie'n poeni mwy amdana i nag ro'n i, gan fy mod i bob pwrpas yn ddall i unrhyw broblem fawr. Byddai'r codi aeliau a thwt-twtian yn mynd ar fy nyrfs i wrth i mi fwynhau fy mhowlaid flasus o sbrowts!

Marged, un o fy ffrindie agosa, dorrodd ar y patrwm i mi, ac er nad wyf am roi manylion ac enwau, medraf ddeud mai trwy iddi hi fy nghyflwyno i rywun oedd wedi dioddef yn enbyd o anorecsia am flynyddoedd y ces i berspectif gwahanol ar y sefyllfa. Does dim dwywaith i mi gael llond twll o ofn wrth gael fy ngorfodi i wynebu cyflwr a fyddai wedi medru cael gafael marwol arna i. Trwy ddoethineb Marged, sylweddoles mod i'n chwarae â thân. Chafodd y cyflwr ddim digon o afael yna i i ngneud i'n sâl, diolch i'r drefn – ond efallai, gydag un troad bach slei yn llwybr fy mywyd, y basa pethe wedi gallu bod yn wahanol iawn.

Mae'n bosib mai sbardun y broblem yn wreiddiol oedd anniddigrwydd ynglŷn â mhwysau, ond medraf werthfawrogi heddiw, gyda threigl amser ac ychydig o wrthrychedd henaint, mai cythrwfl emosiynol oedd wrth wraidd y broblem. Gwn erbyn hyn mai ymdrech oedd hi i geisio cael rhywfaint o reolaeth ar fy mywyd, a dwi'n amau mai'r broblem sylfaenol oedd fy mod yn teimlo fel petai bywyd yn gyfan gwbwl *allan* o reolaeth, yn llithro fel dŵr trwy mysedd i, a finne'n ceisio'n lloerig ddal y llifeiriant mewn pwll bach taclus yn fy nwylo.

Roedd salwch Mam yn f'atgoffa'n gyson fy mod yn gwbwl analluog i newid unrhyw beth, ac felly mi driais reoli un agwedd o mywyd o leia – sef yr hyn ro'n i'n ei roi yn fy ngheg. Teimlwn rywsut fel darn o fflotsam a jetsam yn cael

110

fy nhaflu o gwmpas moroedd ffawd, a minne'n methu gneud diawl o ddim byd ynghylch y sefyllfa.

Gadael coleg

Pasiodd cyfnod y coleg fel seren wib, ac mi ges i'n chwydu allan i'r byd go iawn gyda gradd mewn Cerddoriaeth a chymhwyster dysgu.

'Iesgob annwyl,' meddylies. 'Be goblyn dwi'n mynd i neud rŵan?'

Wrth ymadael â JMJ, a'r hen Volvo annwyl yn tuchan mynd tua'r canolbarth, doedd gen i ddim syniad be fyddai fy llwybr gyrfaol. Y freuddwyd oedd ceisio cyfuno bywyd ffarmio gyda gyrfa mewn teledu. Roedd gen i eisoes rywfaint o gysylltiadau yn y byd cyfryngol, a meddylies efallai y byddwn o leia'n rhoi cynnig ar fod yn berfformiwr hunangynhaliol a gweld be fyddai'n dod o hynny.

Roedd cyflwr iechyd Mam wedi dirywio erbyn hyn a'r baich yn dechrau deud ar Dad. Yn ystod y pedair blynedd y bûm ym Mangor, dechreues sylwi bod fy ymweliadau i ag adre yn tyfu yn eu pwysigrwydd i'r ddau, ac o'r dechrau cynta ro'n i wedi ceisio mynd adre bob rhyw bythefnos.

Byddwn yn cyrraedd y tŷ ar nos Wener, cwtsh a 'Helô' sydyn wrth Mam ac yna draw i'r gegin at Dad i gael swper. Byddai'r awyrgylch yn drwm ar y dechrau ond, ar ôl joch go dda o wisgi, byddai Dad yn dechrau bwrw'i fol ynglŷn â pha mor anodd oedd pethe. Mewn geiriau, off-lôdio rhywfaint o'i faich arna i. O ystyried cyn lleied ro'n i'n medru'i neud yn ymarferol a minne ddwyawr i ffwrdd yn y coleg, teimlwn mai dyma'r peth lleia y medrwn ei neud i helpu'r ddau.

Byddwn yn mynd wedyn o'r 'back kitchen' i ymuno efo Mam yn ei stafell hi; sgwrsio, gwrando ar ei gofidiau hithau, a gwylio'r teledu tan yr oriau mân.

Daeth y teledu'n hollbwysig i Mam wrth i'w hiechyd ddirywio. Mwya'n y byd roedd ei chorff yn gwanhau, mwya'n y byd y cynyddai ei thuedd i guddio oddi wrth y byd tu allan. Bu'n destun ambell air blin, a deud y gwir. Fi'n trio'i pherswadio nad oedd gwatsied y teledu am oriau diddiwedd yn datrys unrhyw beth, ac yn wir yn hytrach na lleddfu'r felan yn ychwanegu ati. Ond doedd dim symud arni. Mynnai hefyd gau'r llenni, hyd yn oed ar ddiwrnod heulog braf, ac erbyn y diwedd treuliai oriau mewn rhyw wyll a golau annaturiol.

Felly meddylies mai'r ateb fyddai i mi fyw adre gyda'r ddau a cheisio lleddfu rhywfaint ar eu baich. Roedd adeg yr wyna wedi bod yn ddiléit mawr i mi erioed, ac yn fy naïfrwydd tybies mai cam bychan fyddai plymio i mewn i fywyd ffarm go iawn a throchi fy hun yn llwyr yng nghalendr difyr y ffarmwr!

Ond yn gymharol fuan ar ôl gorffen coleg, ces gynnig job cyflwynydd ar S4C. Daeth galwad gan Eurof Williams, oedd yn gweithio i HTV ar y pryd, yn deud ei fod yng ngofal rhaglen bop newydd, gyffrous, a'i fod isio i mi a dau arall ei chydgyflwyno. *Larwm* fyddai teitl cŵl y rhaglen.

Wel, dyma gynnwrf! Ro'n i wrth fy modd, fel y medrwch ddychmygu. Roedd fy nghynllun yn dod ynghyd yn daclus iawn, diolch yn fawr: dau ddiwrnod bach bob wythnos i lawr yn y ddinas fawr yn ei hobnobio hi gyda'r grêt and ddy gwd, ac yna treulio gweddill yr wythnos yn Llanerfyl yn helpu Mam a Dad a maelyd efo ciachu defaid! Briliant!

Gwthies y ffaith nad oedd gen i unrhyw fath o brofiad cyflwyno i gefn pella fy meddwl, gan fy argyhoeddi fy hun y byddai'r cynhyrchwyr yn siŵr o roi rhyw fath o arweiniad a chyfarwyddyd i mi. Ia, wel! Breuddwyd ffŵl oedd honna. Doedd dim cyfarwyddyd i fod!

Ces orchymyn rai dyddiau cyn dechrau ffilmio i yrru i lawr i Langrannog i gyfarfod â'm cyd-gyflwynwyr, er mod i'n eu nabod yn reit dda yn barod – Aled Wyn, oedd yn y coleg yr un adeg â fi, a Jim O'Rourke, oedd yn wybyddus i mi trwy'i fand a'i ganeuon *catchy* a gwych. Dach chi'n cofio 'Sosej, Bîns a Chips' – wei-hei?! Cawsom ginio bach yn rhywle, os dwi'n cofio'n iawn, sgwrs sydyn am 'look' a feibs y rhaglen, a datganiad bach digon swta gan Eurof y byddai rhaglen gynta'r gyfres yn cael ei darlledu'n fyw.

'Yn *fyw*?' meddai'r tri ohonom mewn bloedd o anghrediniaeth.

'Ie'n fyw,' ebe Eurof yn dawel. 'Fydd o'n ffein. Isio dal yr ymdeimlad cynhyrfus yna sydd mewn teledu byw 'dan ni.'

Saethodd golwg go bryderus rhwng y tri ohonon ni ond ddeudodd neb air! Wel, o ystyried nad oedd fawr ddim profiad teledu gan yr un ohonon ni, heb sôn am *ddim* profiad cyflwyno, roedd darlledu'n fyw yn glamp o gambyl, a deud y lleia. Ond, a finne'n dueddol o beidio ag ofni unrhyw fath o her yn yr hen fyd yma, tries beidio â meddwl gormod am y peth. Wedi'r cyfan, doedd hwn yn gyfle euraid? Doedd wybod i ble byddai hyn yn fy arwain i!

Cyrhaeddodd y diwrnod mawr, a phawb ar bigau'r drain. Ro'n i 'di dysgu'n leins ac ar y cyfan yn gwbod yn o lew beth oedd o mlaen i. Un o'r meini tramgwydd mwya i mi y diwrnod hwnnw ac, yn wir, trwy gydol y gyfres oedd meistroli'r grefft o amseru'r siarad. Tra o'n i'n dal i sgwrsio, byddwn yn cael cyfarwyddiadau i orffen siarad ar yr union eiliad cywir fel ein bod ni'n gallu symud yn daclus i ddarn oedd eisoes wedi'i recordio. Mae'n swnio'n llawer mwy cymhleth nag ydi o go iawn, ond i rywun heb iot o brofiad roedd y dasg yn hunllef!

Byddai'r rheolwr llawr yn troelli'i freichiau mewn modd hamddenol i ddechrau . . . 'tri deg eiliad i fynd' . . . yna'n dechrau chwifio'i ddwylo'n wyllt . . . 'deg eiliad . . . pump eiliad . . .' a minne erbyn hyn yn trio ngore glas i ddod i ddiwedd y linc heb swnio fel pencampwraig clymau tafod y byd ar gocên.

Pasiodd y rhaglen heb unrhyw gyflafan enfawr er mod i'n cofio'r rysh o ryddhad ar ei diwedd hi. Ond llugoer oedd yr ymateb, a deud y lleia, a'r adolygiadau'n dorcalonnus! Er mod i'n cytuno'n llwyr â'r rhan fwya o'r sylwadau, roedd cael lambastiad fel hyn yn hynod o boenus a ches ysgytwad go hegar i fy ego.

Yn ddiweddar, mi es i dyrchu trwy rai o'r fideos gadwodd Mam o'r cyfnod jest i f'atgoffa fy hun o'r profiad. Doniol, peidiwch â sôn! Roedd y panic yn lleisiau'r tri ohonom yn amlwg – Aled yn siarad yn dawel, ei geg yn sych grimp; Jim a gwên lydan ar ei wyneb yn cuddio'r panic yn ei lygaid, a finne fel dynes wallgof yn sgrechian y lincs i'r camera a'm breichiau'n chwifio fel melin wynt i bob cyfeiriad. Ro'n i ar 'y nghefn mewn sterics wrth eu gwylio!

Da 'di amser efo pethe fel hyn, yntê? Dyma sefyllfa oedd, ar y pryd, wedi peri cryn artaith i mi gan mod i wedi chwyddo amhoblogrwydd y rhaglen allan o bob rheswm yn fy mhen, ac wedi f'argyhoeddi fy hun na fyddwn byth yn gweithio ar deledu eto. Ond heddiw dwi'n medru sbio'n ôl a sylweddoli mor ddoniol oedd y sefyllfa, a bod yr holl brofiad wedi bod yn un lliwgar a buddiol dros ben i mi. O dipyn i beth daeth yn fwyfwy amlwg mai methiant oedd *Larwm* er gwaethaf brwdfrydedd Eurof, a daeth y gyfres i ben er mawr ryddhad i bawb, dwi'n meddwl!

Er nad o'n i'n fodlon cyfaddef hynny i mi fy hun, ro'n i wedi dechrau amau mai camgymeriad oedd ceisio cyfuno ffarmio a theledu, ond trawodd y gwirionedd fi fel bollt ar ôl digwyddiad bach digon smala gyda rhyw ddafad ac oen!

A finne 'in charge' rhyw fore, daeth yn amlwg bod un o braidd Dad wedi troi ar ei hoen ac yn gwrthod gadael iddo sugno. Doedd Dad ddim o gwmpas am ryw reswm, ac felly'r cynllun oedd dal y ddafad uffer, ei llusgo i fyny i'r sied, ei chlymu wrth bolyn, ac yna gorfodi'r oen i sugno er gwaethaf strancio'i fam. Roedd y beic cwad a'r ci gan Dad, yn anffodus – er, go brin basa'r ci ddiawl yn cymryd unrhyw sylw ohona i beth bynnag! Felly dyma fwrw iddi i drio dal y ddafad ar fy mhen fy hun.

Wel – dyna bantomeim! Yn gynta, ceisies dwyllo'r gnawes ac agosáu ati'n llechwraidd wrth iddi bori, fel ro'n i 'di gweld Shep yn 'i neud filoedd o weithiau. Ond nid ci mohonof, a doedd dim ffiars o beryg bod hyn yn mynd i weithio. Sylweddolodd y ddafad be oedd yn mynd mlaen, ac fel o'n i'n deifio trwy'r awyr amdani fel Gareth Edwards yn hedfan trwy'r awyr tuag at y llinell gais, cododd ei phen ac i ffwrdd â hi. Neidies ar fy nhraed er gwaetha'r ffaith mod i 'di brifo nghoes a rhedeg ar ei hôl hi rownd y ciae. Erbyn y trydydd cylch, a'r chwys yn llifo fel afon i lawr fy nhalcen, llwyddes i'w chornelu a phlymio amdani tra oedd hi'n hedbytio'r ffens i drio dianc. Cydies yn ei gwlân fel dyfrgi a sylweddoli gyda braw fod yr oen wedi hen ddiflannu. Dim ots, meddylies, mi sortia i'r oen wedyn. Dyma stradlo'r ddafad a gafael yn dynn yng ngwlân ei gwar a dechre'i llusgo dros y tri ciae oedd rhyngof a'r sied. Feddylies i wir mod i'n mynd i gael hartan neu o leia basio allan cyn cyrraedd y drws. Ond trwy ryw ryfedd wyrth llwyddes i'w llusgo i'r sied a'i chlymu'n dynn. Ar ôl cael fy ngwynt ataf, allan â fi wedyn i drio cael hyd i'r oen. Hwnnw yn ei banic wedi mynd yn sownd yn y ffens, diolch i Dduw, ac yn methu symud. Cario hwnnw wedyn 'nôl at y ddafad a cheisio'i roi i sugno.

Erbyn hyn, er gwaetha'r ffaith mod i'n brifo drostaf ac yn laddar o chwys, a chrafiad gwaedlyd ar fy nghoes, ro'n i'n teimlo'n reit 'chuffed' efo fi fy hun. Ar hynny, clywes ruo'r beic a chyfarthiad cynhyrfus Shep. Edrychwn ymlaen at gael rhywfaint o glod am fy ngwaith caled!

'Wel Duw Duw! Be ddiawl ddoth dros dy ben di, dwêd, yn maelyd fel'na? Blydi iâr ddŵr . . .'

A dyna hi! Ddat was ut! Dim 'Da iawn ti, lodes' neu 'Whare teg i ti am drio'.

O na! 'Blydi iâr ddŵr' ges i!

Dad oedd yn iawn, wrth gwrs. Byddai'r holl ymdrech wedi bod yn gwbwl ddiangen taswn i wedi meddwl yn bwyllog am y peth. Ond rywsut, yng ngeiriau Dad yr eiliad honno, daeth yr holl sefyllfa'n glir. Crisialwyd y ffaith fy mod, er gwaethaf f'ymdrechion, yn byw mewn byd ffantasi. Ro'n i eisoes wedi amau bod Dad isio mwy i mi na hyn, a dyma'i ffordd o o ddangos hynny. Doedd o'n bendant ddim wedi bwriadu fy mrifo i, mae hynny'n sicr. Dydi Dad erioed wedi fy mrifo'n fwriadol; mae o'n gymeriad llawer rhy addfwyn i hynny.

Felly, a *Larwm* ar ei gwely angau a'r syniad o fod yn Farmer Jane wedi mynd yn ffliwt, rhaid oedd ailystyried!

Es ati i edrych ar golegau drama yn Llundain, ac ar ôl ambell gyfweliad ces fy nerbyn i Goleg Drama Mountview. Yn ogystal, mi dries am swydd gyda Bwrdd Datblygu'r Canolbarth, oedd yn cynnig blwyddyn o waith yn Disneyland, Fflorida. Roedd y Bwrdd ar fin agor siop o'r enw The Magic of Wales yn yr UK Pavilion yng Nghanolfan Epcot, ger Orlando, ac ar ôl cyfweliad digon serchog gyda rhai o reolwyr y bwrdd, ces gynnig y job.

Wel, gan mod i eisoes wedi treulio pedair blynedd ar olwyn ffair y system addysg uwch, mi fasa dychwelyd i goleg wedi bod yn gythgiam o her. Felly roedd y syniad o dreulio blwyddyn yn yr haul yn gweithio i Mici Mows yn sicr yn apelio! Y clinshar oedd sylw ffrind oedd yn gweithio i S4C ar y pryd yn ystod noson go wyllt yng Nghlwb Ifor Bach,

'Yli, Siân! Ar ôl yr holl fusnes *Larwm* 'na, dwi'm yn ama mai'r peth gora fedri di neud ydi gadael y wlad am gyfnod.'

'Argol! Doedd *Larwm* ddim cynddrwg â hynna, oedd o? Oes 'na gontract allan arna i ne' rwbeth?' medde fi.

Ond dyna wnes i.

Dewis yr Unol Daleithiau a'r llygoden fach ddu.

Canolfan Epcot a Mici Mows

Mi gries i fel het yn ystod y daith drosodd i Fflorida, ond yr eiliad y troedies i dir America cydiodd y cynnwrf yn fy mol fel feis. Trawodd y gwres fi fel gordd ac wrth i mi stryffaglu gyda nghês yn yr 'Arrivals', daeth gwraig fach berffaith yr olwg â dannedd claerwyn ata i, a'i gwallt du'n disgyn yn donnau dros ei hysgwyddau. Cyflwynodd ei hun i mi mewn llais bach uchel, braidd yn hysterical.

'Hi! I'm Kitty! Welcome to the United States!'

'Hello, Kitty. Nice to meet you. I'm Siân . . . um . . . from Wales.'

'Follow me,' medde hi heb adael i'r wên lithro mymryn.

Cyfarfyddes â rhai eraill oedd wedi cyrraedd o Ewrop ac fe'n tywyswyd i fan fach berffaith lân a logo Disney drosti, ac ymlwybro tuag at y 'complex' a fyddai'n gartref i mi am flwyddyn.

Golygai'r swydd fy mod yn gweithio yn y Magic of Wales fel gweinyddwraig. Rŵan, yn ystod y cyfweliad ro'n i wedi fy hudo i'r swydd gan eu bwriad o nghael i ganu yn y siop bob dydd er mwyn tynnu pobol i mewn. Ella mai eu gyrru nhw i ffwrdd faswn i wedi'i neud, cofiwch, ond oherwydd cyfyngiadau lloerig fy fisa, yr unig gyfle ges i i ganu yno oedd am bwt o bythefnos yn ystod dathliadau'r Nadolig.

Roedd y siop ar lan llyn mawr ynghyd â siopau, bwytai ac atyniadau llawer o wledydd eraill yn ogystal. Deuai fy nghyd-weithwyr o Ffrainc, yr Almaen, Canada, yr Eidal,

China, Japan, yr Iseldiroedd, Moroco ac, wrth gwrs, America.

Fe'm cyflwynwyd i ddwy ferch oedd yn mynd i gyd-fyw gyda mi yn y fflat moethus. Cinzia Baraldi o'r Eidal oedd un, merch a edrychai fel fersiwn ifanc o Sophia Loren, a Janet McCloud o Ganada, un oedd yn llawer mwy gwledig yr olwg, oedd y llall. Roedd y ddwy'n ferched hyfryd dros ben a gwyddwn y bydden ni'n gyrru mlaen yn tsiampion!

Sylwes yn o fuan mai criw ifanc iawn oedd fy nghyd-weithwyr, ac er mai dim ond pedair ar hugain o'n i, ro'n i'n teimlo fel hen ddynes yn eu mysg! Ond buan iawn y seliais gyfeillgarwch cadarn gydag un ferch yn arbennig, sef Lorraine McCrorie o'r Alban. Merch a chanddi gymeriad tyner iawn yw Lorraine, ac mae'n edrych ar fywyd mewn ffordd debyg iawn i mi. Roedden ni ar yr un donfedd rywsut. Dywedodd wrtha i'n ddiweddar ei bod hi'n cofio ngweld i am y tro cynta'n sefyll y tu allan i'r 'apartment', a'r gwynt wedi gafael yn fy ngwallt a'i luchio i fyny i'r awyr yn hollol syth.

'You looked like some mad Celtic witch, and I just knew we'd be friends!' meddai.

Fel y gwelwch, mae ein cyfeillgarwch wedi para hyd y dydd heddiw, a daw hi a'i thylwyth i lawr i aros aton ni mor amal â phosib. Mae hi'n dal i fedru gneud i mi chwerthin yn well na neb (wel, heblaw Gwyn!), ac yn wir, ar ôl ambell lasied o win, 'den ni'n dwy yn ôl yng nghyfnod ein hugeiniau ac yn caclo a chwerthin yn blentynnaidd am ryw atgof gwirion neu'i gilydd. Bydd ein hannwyl blant yn edrych arnon ni fel petai gynnon ni ddau ben, gan ddatgan yn aeddfed i gyd,

'Oh God! They're off again – let's leave them to it.'

Yr enw amdanon ni fel criw yng ngweithle Disney oedd y Fellowship Students. Hynny ydi, roedden ni'n ennill lleiafswm o ryw gan doler yr wythnos ac yn gorfod mynychu darlithoedd bob dydd Iau. Ystyr 'darlithoedd' yn yr achos hwn oedd esboniadau mewn modd hynod fas sut roedd Disneyworld yn gweithio. Caem ein goleuo pa mor anhygoel oedd ein *guru*, Walt Disney, a sut y gwireddwyd ei freuddwyd o'r dechrau cynta hyd at y behemoth o fusnes cyfredol. Caem ddarlithoedd brith ar wahanol bynciau: er enghraifft, sut roedd Disney yn delio efo damweiniau (ac, wrth gwrs, sut roedden nhw'n delio efo unigolion a fynnai fynd â nhw i'r llys am iawndal).

Roedd y rhan fwya o'r darlithoedd hyn yn hynod o ddiflas, yn enwedig i rywun fel fi oedd heb yr un iotsen o ddiddordeb mewn busnes o unrhyw fath. Ond o dro i dro, er mwyn cynnal ein diddordeb am wn i, byddai'r criw'n cael gwibdaith i lefydd gwahanol y tu allan i'r ganolfan i ehangu'n meddyliau a gweld sut byddai 'The Land of the Free' yn rhedeg pethe.

Un tro, fe ymwelon ni â llys barn. Cawsom eistedd i mewn yn ystod achos llys a gwylio gŵr yn eistedd yn y doc a'i draed wedi'u clymu â heyrn. Ar ôl y ddedfryd cawsom gyfle i gyfarfod â'r Barnwr: gŵr trwsiadus yn ei chwedegau, un siaradus dros ben a chyda gwên barod.

Roedd 'na gymeriadau cryf yng nghriw'r Fellowship – yn eu plith Ewropeaid oedd yn herio'r gyfundrefn ac yn hoff o gwestiynu a gwyntyllu pethe i'r eitha. Un o'r cymeriadau hynny oedd Dalil Kabbage o Moroco. Roedd 'na dri hogyn o Moroco yn y Fellowship: Mohammed, Yosr Tazi, a Dalil. Cesys, peidiwch â sôn! Roedd yna ryw ddiffyg parch iach yn perthyn iddyn nhw ynghyd â chwrteisi bendigedig, ac

121

oherwydd y ddeuoliaeth hon roedden nhw'n medru gwenu a siarad eu hunain allan o unrhyw helynt.

Ond mae'n debyg i Dalil droedio tir go beryglus y pnawn hwnnw yn y llys. Pan ddaeth cyfle i ofyn cwestiwn i'r Barnwr, rhoddodd ei law i fyny a gofyn,

'Sir? Have you ever sentenced anyone to death?'

Siglodd y wên rhyw fymryn ond mewn llais cadarn, meddai hwnnw,

'Yes, young man, I'm afraid I have.'

'Sir, I hope you don't mind me asking, but are you a Christian?'

Pylodd gwên y Barnwr.

'Yes, indeed I am,' meddai'n amheus. 'Why do you ask?'

'Well, doesn't the Bible say categorically in the Ten Commandments, "Thou shall not kill"? I was wondering how you are able to justify sentencing a person to death and rest easy as a Christian?'

Erbyn hyn roedd wyneb y Barnwr fel taran a safodd ar ei draed yn flin.

'It's been good meeting y'all but I am a very busy man. Have a good day.'

Roedd gweddill y criw yn gegrwth a'r ddwy wraig a edrychai ar ein holau (Kitty, a ddaethai i'm hebrwng o'r maes awyr, a Leo – hen gnawes o ddynes a feddai ar natur lidiog y tu ôl i'r wên ffals) wedi mynd yn llwyd fel llymru.

'Everyone back to the coach!' meddai Leo yn flin. 'We'll deal with you later, Dalil.'

O ganlyniad i'w gwestiynu herfeiddiol, cafodd Dalil, er mawr dristwch i bawb, ei daflu allan o'r Fellowship. Mae'n debyg bod y Barnwr wedi bwrw'i sen go iawn a mynnu cosb briodol i'r hogyn. Collwyd cymeriad lliwgar a difyr a hynod beniog. Ond mi landiodd yr hen Dalil ar ei draed gan iddo syrthio mewn cariad ag Americanes a'i phriodi'r flwyddyn honno, a chyn belled ag y gwn i mae o'n dal i fyw yn ardal Sarasota, Fflorida.

Dro arall fe gawson ni ymweld â charchar i ferched. Joli, 'te?! Mae'n debyg ei fod yn garchar 'state of the art' ac yn hytrach na bariau haearn, waliau *perspex* a gadwai'r troseddwyr hyn dan glo. Anghofia i fyth gerdded rownd efo'r giang ynghyd ag un o warchodwyr y carchar. Roedd hwnnw'n siarad am y merched 'ma a safai namyn llathen neu ddwy oddi wrthym fel rhyw fath o anifeiliaid ar waelod y gadwyn fwyd, ac yn canmol pa mor wych oedd y lle o'i gymharu â charchardai eraill y dalaith. Yr oll welis i yr ochor arall i'r *perspex* oedd wynebau trist a chaled y carcharorion yn sbio'n flin ac yn anobeithiol arnon ni wrth inni gerdded heibio'n llawn embaras, a'n bywydau bach cyfforddus mor herfeiddiol iddyn nhw â chadach coch i darw. Fe'm sobrwyd gan edrychiad un ferch ifanc yn enwedig – cymysgedd o atgasedd a breuder enbyd. Prin fedrwn i edrych arni.

'I've got to get out of here,' medde fi'n ddagreuol wrth Lorraine oedd yn f'ochor. Rhedes am y drws ac allan i'r haul tanbaid a dechrau crio pwll y glaw. Dwi'n meddwl mai'r diffyg empathi ddychrynodd fi yn fwy na dim. Doedd dim sôn am ymdrechion i adsefydlu'r merched na chwaith unrhyw esboniad pam roedden nhw yno yn y lle cynta, nac unrhyw beth fyddai'n dangos rhyw lygedyn o ddyngarwch yn yr olygfa erchyll o'n blaenau. Sut ar wyneb y ddaear oedden nhw'n meddwl bod yr hyn roedden ni'n ei neud yn dderbyniol – yn syllu fel rhyw loi ar drueiniaid llai ffodus na ni fel tasen ni'n astudio rhywbeth afiach mewn testiwb? Ro'n i'n lloerig!

123

Dilynodd Leo fi trwy'r drws a gofyn yn oeraidd braidd,

'What's wrong? Are you ill?'

'No, I'm not ill, just upset.'

'Upset? About what?'

'Leo, how can you think that what we've just done is in any way acceptable?' medde fi wrthi'n syn.

'Oh, don't be silly, Siân. Everybody back on the coach, please.'

Daeth Lorraine ata i i nghysuro, a rhegi'r sefyllfa yn ei hacen Albanaidd gref,

'This country's nuts, Siân. Insane!'

Fedrwn i ddim llai na chytuno!

Dro arall aethon ni i ymweld â ffatri robotics – hynny yw, ffatri oedd yn adeiladu nwyddau gyda robots, nid pobl. Roedd y daith yno trwy ardal wledig, gorsiog sydd mor nodweddiadaol o'r rhan yma o America, ac wrth ymlwybro yn ein bws 'air-conditioned' aethom drwy bentref tlawd iawn yr olwg. Yn sydyn reit ro'n i mewn byd arall, yn wir mewn oes arall. Drwy ffenest y bws gwelem deuluoedd cyfan yn eistedd o flaen eu tai yn yr haul mewn dillad rhacsiog; ceir heb olwynion a rhwd drostynt; dynion o amgylch byrddau yn chwarae cardiau'n ddiog yng ngwres tanbaid y bore, a phlant bach hanner noeth yn gweiddi ar y bws wrth i ni basio. Edrychai'r tai fel hen dai caethweision o gyfnod *Gone with the Wind*, a'r wynebau duon a syllai i fyny arnom yn wynebau o orffennol pell yr 'Yes, Masser!', y planhigfeydd a'r *lynchings*. Ond wynebau'r presennol oedd y rhain – wynebau y byddai'n well gan Gwmni Disney eu cadw yn y cysgodion.

Mi ges i agoriad llygad: bod pris uchel ar lwyddiant busnesau fel Disney, a bod hiliaeth hyll y Deep South yn dal i ferwi'n iach – neu'n afiach. Yn sgil y weledigaeth honno mi ddechreues i edrych ar fy nghyflogwr mewn ffordd dra gwahanol. Sylwes mai wynebau duon a lifai allan trwy giatiau'r brif fynedfa am saith y bore cyn i'r parc agor, wedi noson galed o llnau a sgubo a sgwrio toiledau, a mod inne'n un o'r wynebau gwynion hynny a lifai i mewn i'r parc yng ngolau dydd i weini a gwenu a dymuno 'Have a nice day' i'r miloedd ar filoedd o gwsmeriaid a wariai eu cyfoeth yno.

Un lodes ddu oedd ar y Fellowship Programme, a Sheryl o Detroit oedd honno. Cymeriad a hanner oedd Sheryl, â llais canu anfarwol a llais siarad yr un mor bwerus. Roedd ganddi synnwyr digrifwch heb ei ail a threuliwn y rhan fwya o'r amser yn ei chwmni yn marw chwerthin. Un diwrnod, dwi'n cofio rhannu fy ngofidiau efo hi ynglŷn â'r ffaith mai ychydig iawn o bobl dduon oedd mewn swyddi blaenllaw yn Disney.

'Yep! You got it, honey! I'm your token black girl!' a chwerthin yn iach wrth ei ddeud o!

Ces agoriad llygad i ochor dywyll dynoliaeth yn ystod fy nghyfnod yn Disney a gwersi amhrisiadwy sut i ddelio efo pobol mwy annifyr na'r math o bobol ro'n i wedi arfer â nhw. Ond rhag ofn i chi feddwl na wnes i fwynhau'r profiad, rhaid pwysleisio bod yr hwyl wedi cael y gorau ar y diflastod. Rhaid cyfaddef bod y gwaith yn gadael 'y mrêns i'n ddiffrwyth heb sôn am fy nhraed, ond roedd y torheulo dyddiol wrth y pwll, yr 'happy hours', y chwerthin a'r sbort yng nghwmni ffrindie da a chariad newydd o'r enw Declan o Enniskillen yng Ngogledd Iwerddon, yn cyfiawnhau'r penderfyniad wnes i.

Ces gyfle hefyd i fynd i Jamaica am wythnos yng nghwmni criw o ferched o'r gwaith, a chael y cynnig rhyfedda gan foi tal, golygus, hollol 'stoned' a ofynnodd yn garedig i mi,

'You wanna fack a black man, baby?'

Cynnig a wrthodes i, gyda llaw, gan ddeud:

'Well, it's really nice of you to offer but I think I'll have to say no – thank you!'

Daeth Lloyd, fy mrawd, draw i aros am bythefnos a chael amser bendigedig, a daeth Dad a Mam am wyliau hefyd dros gyfnod y Nadolig a mhen-blwydd. Bwcies wythnos o fordaith iddyn nhw a gwn iddyn nhw gael profiadau bythgofiadwy yn hwylio dros foroedd ecsotig y Caribî!

Ces hefyd y profiad bisâr o gael miliwnydd o'r enw Bob yn datgan ei gariad tuag ata i a chynnig llu o bethau drudfawr i'm hudo; yn wir, aeth mor bell â chynnig condominiwm moethus i mi yn 'downtown Orlando'! Er na pharodd y berthynas honno'n hir (wel, doedd hi'n fawr o berthynas, a deud y gwir!), mae'n werth adrodd y stori gan i'r profiad roi agoriad llygad i mi mewn sawl ffordd.

Drymiwr oedd Bob (ie, wn i, drymiwr arall!) yn un o fandiau Disney. Roedd wedi penderfynu symud o fyd cyfrifiaduron lle gwnaeth o ei bres i fyd llai *stressful* y cerddor. Fe wnaethon ni gyfarfod yn stafell newid y gweithwyr tu cefn i'r siopau, a bu'r 'banter' ysgafn rhyngddon ni a'r fflyrtio cychwynnol dros wythnosau yn hwyliog a braf.

Un noson ar ôl gwaith gofynnodd o'n i awydd mynd allan am ddiod.

'Well, I'm not really dressed to go out for a drink, Bob,' medde fi'n amheus braidd. Ro'n i'n gwisgo crys-T digon llipa a phâr o shorts oedd braidd yn 'skimpy', a deud y lleia. Wel, roedd hi'n ddifrifol o boeth, wedi'r cyfan!

'You look just great, Siân. Come on, it'll be fun.'

Felly i ffwrdd â ni yn ei sports car coch a bomio mynd ar hyd y draffordd am yr hyn a deimlai fel oes. Gyrhaeddon ni ryw far anghysbell o'r diwedd a cherdded mewn i gyfarchion cyfeillgar y rhai oedd yno.

'Hi, Bob, how're ya doin'?'

'Hell, Bob, how are ya, man?' ac yn y blaen. Roedd pawb fel petaen nhw'n nabod Bob.

I fyny â ni at y bar a theimlwn rywsut fy mod yn cael fy llygadu â rhywfaint o amheuaeth gan y dynion oedd yno. Es i deimlo'n annifyr reit.

'Bottle of champagne, please barman,' meddai Bob yn sŵn i gyd.

'And who's the pretty lady you have with you tonight then, Bob?' gofynnodd y boi wrth y bar. Sylwes fod gormod o bwyslais braidd ar y 'tonight'. Fe ddylwn fod wedi sylweddoli'r eiliad honno fod 'na rywbeth oedd ddim cweit yn iawn, ond gwthies unrhyw ofidiau i gefn fy meddwl wrth i Bob a finne gael y laff ryfedda'n sgwrsio am Disney ac am fywyd, a fi, a fo . . .

Roedd yr hogyn yn 'charmer' go iawn a ches fy sugno i mewn i'w fyd difyr oedd mor anhygoel o wahanol i f'un i.

Yn sydyn, sylwes fod fy mhen yn troi fel top, diolch i'r siampên, ac awgrymes efallai ei bod hi'n bryd i mi fynd adre. Cytunodd yn gwrtais ac allan â ni i'w gar drudfawr. Roedd hi'n noson gynnes braf a theimlwn yn hogan lwcus iawn yng nghwmni'r miliwnêr a ymddangosai mor ofalus ohona i. Jest fel ro'n i'n dechrau pendwmpian i sŵn hamddenol y miwsig ar y radio, sylwes fod y car wedi stopio a bod Bob wedi diffodd yr injan. Agores fy llygaid i weld ein bod wedi mynd i fyny rhyw hen wtra ddigon garw na fyddai allan o'i lle yn sir Drefaldwyn, heb olwg o dŷ na phobol yn unman.

'What are we doing here?' meddwn yn gysglyd. Ddudodd o 'run gair, dim ond plygu drosodd a rhoi clamp o gusan ar fy ngwefusau.

'Hang on a minute, Bob. I'm not so sure about this. Where are we? Can you take me home, please . . .? I'd really like to go home now.'

Mewn fflach, ro'n i'n teimlo'n andros o 'vulnerable' yn fy shorts bach tila, a sylweddoles mewn ton o chwys oer fy mod mewn peryg. Mynnai Bob aros yn fud ac erbyn hyn roedd o wedi dechrau dringo o sêt y dreifar a lynjio amdana i – a hynny'n hynod o gelfydd!

'What the hell are you doing, Bob?' sgrechies arno. 'Stop it this minute and take me home – NOW!'

Mi rois i ddiawch o hwth iddo a rhythu arno'n flin. Dringodd 'nol i'w sêt ac anadlu'n ddwfn am rai eiliadau, a'r mudandod bygythiol yn parhau. Fues i rioed mor ofnus: dyma fi yng nghanol nunlle mewn sefyllfa uffernol o beryglus efo boi doeddwn i ddim wir yn ei nabod, heb unrhyw obaith am achubiaeth. Yn gymysg â hyn, ro'n i'n teimlo'n real ffŵl mod i wedi caniatáu i'r fath beth ddigwydd. Feddylies i am Mam a fu mor dda gyda'i chynghorion ynglŷn â bywyd a dynion, a dyma fi fel het wedi fy nghael fy hun mewn sefyllfa allai droi'n gas iawn iawn.

O'r diwedd, cychwynnodd y car a throi am adre. Roedd y daith yn arteithiol o hir a distaw ac wrth i'r car ddod i stop y tu allan i nghondominiwm, agorodd Bob ei geg o'r diwedd a deud,

'I'm really sorry, Siân.'

128

Es allan o'r car heb ymdroi a rhedeg i mewn i'r fflat â ngwynt yn fy nwrn, wedi cael gwers galed a chofiadwy iawn.

Yn y dyddiau a'r wythnosau canlynol roedd Bob yn llawn edifeirwch a bu'n gyson iawn yn ei ymdrechion i adennill fy ffydd. Ymddiheurodd droeon ei fod o wedi cymryd pethe'n ganiataol ac mai fy mrifo oedd y peth ola ar ei feddwl.

Jest fel ro'n i'n dechrau meirioli, pwy gerddodd i mewn i'r Magic of Wales ryw bnawn ond gwraig dlos yng ngwisg un o'r 'entertainers'. Daeth ata i gyda merch ro'n i'n ei lled nabod, ac meddai â gwên hunangyfiawn braidd,

'Hi, Siân. I'm Betsy – Bob's wife.'

Jest i mi basio allan.

'Oh, hello . . . nice to meet you.' Ysgydwes ei llaw yn llipa a theimlo fel baw isa'r domen.

'I've heard so much about you through Bob. He says you're a wonderful singer.'

'Really? Oh, that's nice . . . thank you.'

Ar ôl iddi hi a'r ferch arall adael y siop â rhyw wawr orchfygol o'u cwmpas, daeth Lorraine ata i a gofyn yn dawel,

'What was all that about?'

'Oh, my God, Lorraine, you'll never believe it – that was Bob's wife!'

Cafodd Bob 'short shrift' go iawn gen i wedyn, a daeth pennod bach addysgiadol arall i ben yn o swta!

Yn fuan ar ôl y llanast yna daeth hogyn arall, llawer anwylach, i mywyd i. Declan o bentref bach Belcoo, ger Enniskillen yng Ngogledd Iwerddon, oedd hwnnw. Un drygiog oedd Declan. Meddai agwedd ffwrdd â hi go iawn tuag at fywyd – rhinwedd a lanwodd fy mywyd â chwerthin ac ysgafnder am y cyfnod y buon ni efo'n gilydd, ond a ddatblygodd erbyn y diwedd i fod yn faen tramgwydd rhyngon ni! Ond mae'r atgofion yn felys iawn am berson a ddysgodd i mi sut i beidio â chymryd bywyd, a fi fy hun, gymaint o ddifrif.

Beth bynnag, ar ddiwedd fy nghyfnod yn America aeth Declan a finne ar antur yn f'annwyl Neli, sef hen Buick brown braf yr oedd Lorraine a minne wedi'i brynu ddechrau'r flwyddyn, a theithio'r holl ffordd i fyny trwy daleithiau'r de, ar hyd arfordir y gorllewin a draw at Raeadr Niagra. Croesi wedyn i Ganada a threulio cyfnod yno yn teithio o Montreal i Toronto ac yna draw i ddinas Quebec. Croesi 'nôl i'r Unol Daleithiau ac aros yn Efrog Newydd; dringo un o dyrau'r Trade Centre a theimlo'n reit wyliadwrus gan fod sôn hyd yn oed bryd hynny am ymosodiad gan derfysgwyr ar un o'r tyrau. Mae gen i lun ohonof yn sefyll ar ben un o'r tyrau'n gwenu'n hapus i gyfeiriad y camera – rhywbeth sy'n fy sobri'n arw heddiw o wybod beth ddigwyddodd yn 2001, bymtheg mlynedd yn ddiweddarach. Teithio'r holl ffordd i lawr wedyn yn ôl i Fflorida. Marathon o daith a gymerodd dros dair wythnos i'w chyflawni. Bendigedig!

Ond erbyn y diwedd, a minne wedi magu'r peils mwya poenus a brofodd unrhyw un erioed ar ôl yr holl eistedd yn y car, roedd hi'n hen bryd i mi ddychwelyd i Gymru fach . . .

Mewn amrantiad rywsut, ro'n i'n eistedd wrth y Rayburn yn y Gardden yn sgwrsio efo Nain, ac yn gwisgo tair jympar wlân i nghadw i'n gynnes er ei bod hi'n ddiwedd Awst ac yn heulog braf y tu allan. Er bod thermostat fy nghorff wedi mynd yn ffliwt a minne unwaith eto'n gorfod ystyried 'Be nesa?', ro'n i'n uffernol o hapus o fod adre!

Er mwyn trio cael rhywfaint o drefn ar fy mywyd penderfynes y byddwn yn cwblhau fy mlwyddyn brawf ym myd addysg. Ces gyfnod byr yn Ysgol Gynradd Abermiwl a chyfnod yn Ysgol Maesydre yn dysgu Cymraeg fel ail iaith.

O'r cychwyn cynta, er gwaetha'r plant bach bendigedig y dois i ar eu traws a'r athrawon hyfryd (yn enwedig Mrs Jenkins a Mr Penri Thomas yn Ysgol Abermiwl), ro'n i'n eitha pendant nad dysgu fyddai'r yrfa i mi. Roedd gen i rhyw hen gnoi yn fy mol o hyd ynglŷn â mentro i fyd canu ac actio, a go brin y baswn i wedi medru'i dawelu.

Felly, ychydig cyn diwedd y tymor ym Maesydre, mi rois fy notis i mewn a thaflu fy hun unwaith eto i ddyfroedd dwfn ac anwadal y byd perfformio.

Y cam cynta oedd llunio CV a'i anfon i bawb a'i nain ar syrcit S4C. Yn y cyfamser, llwyddes i gael asiant cerddorol. Ro'n i'n gwbod ei bod yn bosib ennill pres go lew yn telyna mewn gwestai crand, felly ces afael ar wraig ecsentrig iawn o'r enw Edna Cassell oedd yn bwcio telynorion i westai trwy Brydain ac i fordeithiau o gwmpas Môr y Canoldir. Tybies efallai y byddai hyn yn helpu i bontio pethe nes byddai rhywbeth mwy sylweddol yn dod i law.

Y job gynta ges i drwy Edna Cassell oedd canu'r delyn mewn gwesty enfawr ar y ffrynt yn Brighton. Ro'n i'n dal mewn perthynas gyda Declan, felly dyma benderfynu mynd i fyw ato fo yn Wimbledon a theithio i lawr i Brighton bum diwrnod yr wythnos. Fe barodd hyn am oddeutu chwe mis, ond buan iawn y diflases i ar y busnes.

Dydw i ddim yn cofio'n union sut digwyddodd y peth ond, yn ffodus iawn i mi, jest fel ro'n i'n dechrau sylweddoli mod i wedi gwneud camgymeriad go hegar, ces wahoddiad i fod yn aelod o gast oedd yn gweithio i gwmni Hwyl a Fflag ar gynhyrchiad Nadolig fyddai'n teithio ddiwedd Rhagfyr '86 ac Ionawr '87. *Jim Cro Crystyn* oedd enw'r cynhyrchiad, ac mae fy nyled yn fawr i Wyn a Gwen Bowen Harries am roi'r fath gyfle i mi. Ro'n i'n teimlo fel taswn i wedi ennill y pŵls, coeliwch chi fi!

Wrth i'r misoedd lithro heibio yn Llunden ro'n i wedi sylweddoli nad oedd bywyd y ddinas yn tycio â nghymeriad i. Ro'n i wrth fy modd yn cael ysbaid fach o jolihoitio yn y goleuadau llachar a'r hwrlibwrli, ond wedyn byddai hen gwmwl o hiraeth yn tarfu ar bob dim a byddai'r dyhead am y wlad yn drysu mhen i. Doeddwn i chwaith ddim yn gyfforddus yn byw yn rhy bell oddi wrth Mam a Dad gan fod y dynfa i fynd adre i helpu yn fythol bresennol. Nid bod dychwelyd i Fangor yn ddewis perffaith chwaith (gyda phob parch i ddinas Bangor!), ond roedd gweithio gyda Chymry Cymraeg unwaith yn rhagor, a hynny ym myd theatr yn rhyddhad enfawr. Ac mi ro'n i'n nes at adre!

Ymysg fy nghyd-actorion yn *Jim Cro Crystyn* roedd Morfudd Huws, Dafydd Dafis, Maldwyn John, Dylan Davies a Sera Cracroft. Roedd 'na lot o ganu a lot o ddawnsio dan arweiniad Cefin Roberts – a chryn dipyn o chwerthin a hwyl. Geraint Cynan, fy hen ffrind coleg, oedd yng ngofal y gerddoriaeth, felly mi deimles yn gartrefol iawn yn syth bìn.

Yn sgil fy ngwaith ar *Jim Cro Crystyn* ces waith gyda Hwyl a Fflag y flwyddyn ganlynol hefyd, ar *Codi Stêm*.

Wrth edrych 'nôl a hel atgofion fel hyn, gwelaf fod y

cyfnod hwn wedi'm tywys i lawr llwybr newydd a newidiodd fy mywyd yn llwyr. Dros baned a sgwrs ces wybod gan Geraint (oedd unwaith eto yng ngofal y gerddoriaeth) mai'r band y flwyddyn honno fyddai fo ar y piano a dau o hogia Maffia Mr Huws ar y dryms a'r bas.

'Be? Ti 'di llwyddo i gael dau o'r Maffia i fod yn y band? Waw!' medde fi mewn syndod.

Mi fues inne fel y rhan fwya o Gymry ifanc ddiwedd yr wythdegau yn dipyn o ffan o Maffia Mr Huws – er mai tipyn bach o closet ffan oeddwn i, a deud y gwir. Do'n i ddim yn un o'r merched hynny oedd yn sgrechian yn nyts mewn gìgs, ond mi wnes i hwthio i'r tu blaen ar ambell achlysur gan ysgwyd fy nhin yn o hegar! Ers dyddiau gìgs y coleg a Nosweithiau Gwobrwyo Sgrech roedd gen i feddwl mawr o'r bechgyn o Fethesda. Do'n i ddim yn eu nabod nhw'n iawn o gwbwl, er i'n llwybrau ni groesi ambell dro, ond yr argraff o'n i wedi'i gael ohonyn nhw oedd eu bod nhw'n fythol cŵl, a rhyw wawr rywiol 'hogia drwg' o'u cwmpas! Ar yr adegau hynny pan fyddwn yn taro arnynt, byddai'r hogia bob amser yn ymateb yn glên i fy 'helô' swil a ngwên orawyddus!

Rhaid cyfaddef mai rhythu ar y drymar fyddwn i, gyda'i wallt hir a'i jîns troseddol dynn, gan ddŵad i'r casgliad mai fo heb os oedd y pishyn yn y band! Byddwn yn trio fy ngore glas i ddal ei lygad wrth bopio rownd fy handbag, ond yn ofer. Ac felly, pan glywes ei fod o, y gorjys Gwyn Maffia, a Neil (Wilias) yn ymuno â chriw'r panto, ro'n i 'di mopio'n lân.

Ar ôl taith hynod lwyddiannus fe gyrhaeddon ni'r ddinas fawr, a thra o'n i'n newid ar ôl sioe yn y Sherman, dyma ben yn ymddangos rownd drws yr ystafell newid.

'Hei, Siân! Ti ffansi ffidan?'

'Ffidan?' Dyfales mai iaith Pesda am bryd o fwyd oedd hyn.

'Ym . . . ocê . . . lle tisio mynd?'

'Wela i di yn yr Owain Glyndŵr am saith nos fory?'

'Ia, ocê!' Ac i ffwrdd â fo!

Daeth ton o 'WWWWWWs' gan y merched eraill, a sefes inne'n edrych yn y drych a mochau ar dân mewn sioc! O mai God! Mae Gwyn Maffia wedi gofyn i mi fynd allan am ffidan. Ocê, cŵl 'ed, 'wan!

Sbriwsies fy hun yn ofalus reit ar gyfer y noson fawr, a bwcio tacsi i'r Owain Glyndŵr, nid nepell o Howells oddi ar stryd St Mary's. Cerddes i mewn ar fy mhen fy hun toc wedi saith o'r gloch, yn disgwyl gweld y còg o Fethesda yn eistedd yno'n barod â pheint o'i flaen yn aros yn amyneddgar amdana i.

Wele fy ngwers gynta am Gwyn Maffia! Dydi amser a Gwyn ddim yn bwsym bydis, a deud y lleia, ac er mor dila yw f'ymdrechion i i gadw'r bwystfil amser dan reolaeth, mae Gwyn ddeng mil gwaith gwaeth na fi.

Prynes ddiod a sodro'n hun ar gadair wag a bwrdd bach o'i blaen yn twtio ngwallt a ffidlan efo'r mat cwrw. Doedd 'na'm ffonau symudol i ffidlan efo nhw'r dyddie hynny, cofiwch!

Chwarter wedi saith – dim golwg.

Hanner awr wedi saith – dim sôn.

'Wel, myn yffar i!' meddylies. 'Ma'r diawl wedi anghofio. Asu, "stood up" a hynny ar y dêt cynta.'

Fel roedd hi'n agosáu at chwarter i wyth, pwy redodd i mewn – na, pwy *gerddodd* i mewn yn cŵl reit – ond Gwyn! Edryches fel taran arno wrth wrando ar ei esgusodion tila –

rhywbeth am gêm pŵl a aeth ymlaen braidd yn hir efo Hedd, y rheolwr llwyfan.

Gyda tipyn bach o berswâd, mi steddes i lawr efo fo a chael diod. Aeth ati wedyn i ddadmer rhywfaint ar fy hwylie drwg efo'r wên 'killer' yna sydd ganddo, ac mi gerddon ni drws nesa i Waldos, bwyty Eidalaidd, i gael y 'ffidan' hirddisgwyliedig. A chyda chymorth y gwin a'r pasta a'r chwerthin, anghofies yn eitha sydyn am ei ddiffyg cadw amser. Colles fy mhen, a deud y gwir!

Ddy rest, wrth gwrs, us histori!

Daeth y daith i ben a Gwyn a minne'n ceisio cynnal y berthynas a ninne'n byw filltiroedd oddi wrth ein gilydd, oedd yn bell o fod yn hawdd.

Ar ôl i *Codi Stêm* ddod i ben ym mis Ionawr '88, roedd hogia Maffia ar fin mynd ar daith i Lydaw, taith a fyddai'n newid bywydau'r hogia o Pesda am byth. Dwi'n cofio picio i mewn i weld Gwyn tra oedden nhw'n ymarfer yn Tabs (canolfan Hwyl a Fflag) cyn mentro ar yr antur Lydewig. Roedd gan Al, aelod lled-newydd o'r band, allweddellwr oedd wedi rhoi chwistrelliad newydd o greadigrwydd i gerddoriaeth y band, dynfa ryfedd tuag at Lydaw a fo oedd wedi gwneud y rhan fwya o'r trefnu. Roedd y cynnwrf ymysg yr hogia'r diwrnod hwnnw'n amlwg iawn. Dychweles adre heb syniad o'r hyn oedd ar fin digwydd.

Un pnawn yr wythnos ganlynol ces alwad ffôn. Gwyn oedd yno, a'i lais yn crynu.

'Siani . . . mae rhywbeth uffernol wedi digwydd.' Yna aeth yn fud.

'Gwyn? Be sy? Be sy 'di digwydd?'

Trwy'i ddagrau, medde fo,

''Dan ni 'di cael damwain . . . yn y fan . . . damwain uffernol . . . Ma' Al wedi'i ladd.'

Sefes yn y cyntedd yn Bryntanat yn methu credu be o'n i'n ei glywed.

'Damwain? Wyt *ti*'n iawn? Ti'm 'di brifo, na?'

'Na. Dwi'n ocê. Neb arall 'di brifo'n ddrwg . . . Jest Al . . .' Diflannodd ei lais yn ddim eto.

'Oes 'na rywbeth fedra i neud?'

'Na, dwi'm yn meddwl . . . Jest arhosa wrth y ffôn.'

Dwi ddim am fynd i ormod o fanylion am y ddamwain gan nad ydw i'n teimlo mai fi ddylai adrodd yr hanes. Mae'r stori'n un ddirdynnol a thrist, yn llawn derwyddon a digwyddiadau ysbrydol rhyfedd, ond lle'r hogia yw ei hadrodd hi.

Hanes y plu

Credaf fod digwyddiadau ysgytwol a ddaw i'n rhan ni mewn bywyd yn gallu sbarduno meddylfryd newydd, dim ond i ni agor ein meddyliau'n llwyr i'r hyn sy'n hudol yn ein bywydau. Mae hi mor hawdd gadael i'r meddwl 'gau lawr', fel petai, wrth i ni ymaflyd â'n bywydau prysur a materol bob dydd, a cholli gafael ar yr hud sydd o'n cwmpas ni – dim ond i ni sbio.

O gwmpas y cyfnod hwn y dechreuodd Gwyn a minne ar lwybr ysbrydol oedd i bob pwrpas wedi bod yn dawel tan hynny. Wrth i mi drio dod i delerau â chyflwr bregus Mam a'i gwylio'n dirywio o ddydd i ddydd a disgyn yn is i bydew iselder, roeddwn wedi dechrau darllen llyfrau 'New Age' gan obeithio y baswn i'n cael rhywfaint o oleuni ar yr hen gwestiwn annifyr hwnnw oedd yn mwydro mhen i'n gyson, sef 'Pam?'

Beth oedd pwrpas yr holl ddioddefaint 'ma? A oedd rheswm dilys pam fod gwraig mor hynod â fy mam yn gorfod wynebu'r fath artaith? A oedd pwrpas o fath yn y byd i'r dioddefaint a brofai Dad yn ddyddiol wrth dendio mor driw arni a gwylio'r ferch ifanc fywiog y syrthiodd mewn cariad â hi yn diflannu'n swp o gnawd diffrwyth o flaen ei lygaid? Roedd yr holl sefyllfa'n ymddangos yn enbyd o greulon.

Daeth person newydd i mewn i mywyd i ar ddiwedd yr

wythdegau, fel chwa o awyr iach – person a gafodd gryn ddylanwad arna i mewn sawl ffordd.

Cyfarfyddes â mam Gwyn am y tro cynta yng nghyntedd Theatr Gwynedd ar ôl un o berfformiadau *Codi Stêm*. Person cynnes, ifanc ei ffordd oedd Nia, â gwên barod a chalon agored. Doedd dim byd caeedig amdani, a gwyddwn o'r eiliadau cynta ei bod hi'n berson arbennig iawn. O'r cyfarchiad cynta, a minne'n naturiol wedi galw 'chi' arni, meddai'n syth,

'Ew, paid â galw "chi" arna i, Siân – galwa fi'n "ti".'

Daethom yn ffrindie da ar amrantiad ac ar yr adegau hynny pan fyddwn yn aros yn ei chartref yng Nglan-traeth, ger Bangor, byddem yn cael trafodaethau hir a difyr am ddirgelion mawr bywyd. Darganfyddes yn fuan ei bod hi, fel finne, yn chwilio am atebion, ac fe dreulion ni oriau dirifedi'n trafod a darllen llyfrau ysbrydol am *karma*, ailymgnawdoliad, iacháu, bywyd y tu hwnt i farwolaeth, ac yn y blaen. Tyfai fy niddordeb yn ddyddiol a ches rywfaint o gysur wrth ddarllen am wahanol grefyddau fel Bwdhaeth a Hindwaeth a gweld bod gwahanol agweddau ar fywyd ysbrydol y gellid eu hystyried.

Tua'r adeg yma y daeth ffenomen y cylchoedd ŷd ('crop circles') i amlygrwydd. Am gyfnod byddai siapiau cymhleth a difyr yn ymddangos mewn caeau ŷd dros Brydain gyfan ond yn enwedig felly yn ardal Wiltshire yn ne Lloegr.

Roedd Gwyn hefyd wedi dechrau ymddiddori yn y 'pethe ysbrydol' hyn, er ei fod o (yn wahanol iawn i mi) yn meddu ar feddwl llawer mwy gwyddonol, a byddai ei ddadleuon synhwyrol traed-ar-y-ddaear yn aml yn herio fy syniadau 'airy-fairy' i. Serch hynny, roedd y cylchoedd ŷd yn rhywbeth a swynodd y ddau ohonon ni, a teg deud ein bod ni'n dau yn dipyn o sbês cadets yn ystod y cyfnod hwn!

Ym Mehefin 1991 daeth fflyd o gylchoedd bendigedig yr olwg i gaeau melyn Wiltshire, ac aeth Gwyn, ei frawd Siôn a'u ffrind Deiniol i wersylla wrth gerrig gogoneddus Avebury i astudio'r ffenomen yn iawn. A ninne'n awyddus i beidio â cholli allan ar yr hwyl, aeth Nia a minne, yn ogystal â chariad Siôn ar y pryd, Bethan, i'r ardal hefyd ac aros mewn gwesty ym Marlborough. Doedden ni ddim digon ymroddgar i'w ryffio hi mewn pabell! Roedd yr awyrgylch yn anhygoel – tref fach dawel yn sydyn yn ferw o gynnwrf ac antur, a theimlad disgwylgar yn yr awyr bod rywbeth reit arallfydol ar droed.

Yn llenwi'r bariau bach *quaint* a'r B&Bs roedd pobl oedd yn credu mewn UFOs, gwyddonwyr, unigolion chwilfrydig oedd â dôs reit dda o amheuaeth, gwybodusion go iawn yn y maes, ynghyd â sbês cadets fel ni – pawb yn trin a thrafod eu barn ynglŷn â tharddiad y patrymau cymhleth, prydferth a ymddangosai'n flynyddol. Negeseuon gan Dduw yn rhagflaenu diwedd y byd? Rhybuddion gan Gaia i drin y ddaear gyda mwy o barch? Côd gan drigolion bydoedd eraill wrth iddyn nhw geisio cysylltu â ni? Neu ai trigolion artistig yr ardal oedd yn llwyddo i'n twyllo'n flynyddol gyda darn o gortyn bêls a chòg o bren? Pwy a ŵyr! Beth bynnag oedd yr ateb, roedden ni'n cael ufflon o hwyl yn trio ffeindio allan!

O gwmpas yr adeg yma hefyd roedd David Icke newydd ryddhau llyfr hollol bisâr yn olrhain ei lwybr ysbrydol ar ôl gyrfa lewyrchus iawn fel cyflwynydd chwaraeon i'r BBC. Tybiai pawb fod y cradur wedi colli ei farblis a bu'n destun gwawd i'r rhan fwya. Doedd y *shell suit* turquoise y mynnai ei gwisgo i bob cyfweliad ddim yn helpu pethe rhyw lawer!

Ond roedd ei lyfr *The Truth Vibrations* yn trin a thrafod rhai o'r pynciau y bu Gwyn a finne'n eu gwyntyllu, felly aethom ati i'w ddarllen.

Un stori ganddo oedd hanes rhyfedd am blu yn ymddangos iddo fel rhyw fath o arwyddion a'i cynorthwyodd i ddatrys rhyw ddirgelwch oedd yn ei boeni. A thra oedd ein giang ni wrthi'n syllu ar batrwm hynod gymhleth a chain mewn cae ŷd mewn ardal o'r enw Barbury Castle, adroddodd Gwyn hanes yr hyn oedd wedi digwydd yn yr union fan y diwrnod cyn i mi gyrraedd.

Wrth i'r hogia o Pesda eistedd ar y boncen uwchben y cae ŷd, cynigiodd Gwyn arbrawf addas i'r sbês cadets. Yn rhannol am hwyl ac yn rhannol o chwilfrydedd ac yn unol â syniad arall o lyfr David Icke, safodd y tri fel eu bod yn gwneud llinell berffaith syth efo llinell ganol y pictogram yn yr ŷd, ac yna dechrau canu nodyn hir, dwfn i gryfhau'r enyrjis! Wedi rhyw funud o 'ômio' mewn harmoni, chwerthin a thynnu coes, be welodd Gwyn wrth ei ymyl, efo'r darn pigog yn hollol sownd yn y pridd, ond pluen deryn du, a honno'n un berffaith. Tynnodd y bluen allan o'r ddaear a gweld ôl y priddyn bron fodfedd i fyny'r goes, ac mewn syndod a chan chwerthin cyfeiriodd at stori ryfedd y plu yn llyfr David Icke. Eiliadau wedyn, be welodd Siôn ac yna Deiniol wrth eu hymyl ond dwy bluen berffaith arall – un bob un, wedi'u gwthio o fewn hyd gewin i'r ddaear. Roedd y tri'n gegrwth!

Gwenes ar Gwyn gan feddwl ei fod o fel y rhan fwya ohonon ni wedi cael ei sugno i mewn i hud y foment ac efallai'n gor-ddeud rhywfaint, neu o leia'n gadael i'w ddychymyg fynd yn rhemp, ond fel roedden ni'n oedi cyn dringo'r ffens ar waelod y boncen, be welodd Gwyn yn sownd yn y ddaear wrth fy sodlau i, yn union fel petai un o'r tylwyth teg wed'i gadael yno'n arbennig i mi, ond pluen ddu hyfryd. Gafaeles yn y bluen a'i chadw'n agos, a hynny am flynyddoedd. Mae hi'n dal yma gen i yn rhywle.

Ond y peth rhyfedd am hyn i gyd oedd i blu ymddangos i Gwyn a finne am flwyddyn gron wedyn! Yn amlwg mae plu'n landio o fewn golwg pawb yn achlysurol, ond roedd patrwm pendant i'r peth rywsut. Byddent yn ymddangos ar stepen drws y Gardden yn gyson, neu wrth inni gerdded gyda'n gilydd a ninne yng nghanol trafodaeth ddyrys. Cludwyd clamp o bluen gwylan at ein traed gan don annisgwyl ar draeth Biarritz. A minne â nghefn yn erbyn wal y prom yno a Gwyn ar ei gefn ar y tywod wrth fy ymyl, roeddwn yn adrodd rhan ddifyr o lyfr Shirley Maclaine iddo. Yn gwbl ddirybudd dechreuodd y cannoedd o bobl o'n cwmpas sgrechian a rhedeg rownd yn wyllt wrth i don ryfedd olchi dros y traeth a chyrraedd hanner canllath yn nes i'r lan na'r tonnau eraill – yn wir, cyrhaeddodd wal y prom.

Wrth i ni'n dau a phawb arall neidio ar ein traed a cheisio achub ein tywelion, llyfrau a bagiau, plygodd y ddau ohonom i lawr i estyn am yr un sbectol haul a chnocio'n pennau yn ei gilydd yn o galed. Yr union eiliad honno, a'r don fas yn taro wal y prom, hwyliodd y bluen fwya eto o rywle, aros ar y tywod rhwng ein traed wrth i'r dŵr gilio i lawr y traeth, a suddo i mewn i'r tywod. Serch y boen yn ein pennau, o fewn dim roedden ni'n chwerthin wrth ddal y bluen fawr hardd yn ein dwylo. Roedd y profiad fel tase athro dirgel wedi cnocio'n pennau ni ynghyd yn llythrennol, yn trio dangos rhywbeth pwysig i ni ac yn deud yn ddiamynedd: 'Sbïwch wir – dwi'n trio deud rhywbeth wrthach chi!'

Yng ngwyll y noson ganlynol ymddangosodd pluen grand arall tra oedd Gwyn a finne'n ceisio ymbalfalu yn y golau prin am le call i wersylla ar fryn uwchlaw'r môr a'r dre. Gan nad oedden ni mewn gwersyll swyddogol ac mewn gwlad braidd yn ddiarth i ni, teimlem y buasai rhoi'r babell allan o olwg pawb yn beth call. Ond roedd y dasg yn bell o fod yn un hawdd, ac fel roedden ni ar fin rhoi'r gore iddi a mynd i'r dre i ffeindio rhywle llawer drutach a llai rhamantus i gysgu, be welson ni ar ganol llecyn bach perffaith maint pabell ond pluen olau, frith a llydan. Roedd y llecyn yn hollol wastad ac o olwg y ffordd, y dre ac unrhyw adeilad, ac oherwydd y bluen roedden ni'n synhwyro ein bod wedi darganfod lle diogel.

Wrth iddi wawrio trannoeth, a ninnau'n gweld yr haul yn codi yn ei holl ogoniant uwchben y môr, roedden ni'n teimlo'n fwy hyderus fyth mai'r bluen oedd wedi arwain y ffordd. Aeth Gwyn ati am ddeg munud yng ngoleuni'r bore i geisio gweld a oedd pluen arall debyg o'n cwmpas, ond methodd ffeindio'r un.

Wrth gario bagie a chesys 'nôl i'r tŷ ar ddiwedd y trip hwn i Ffrainc a gwlad y Basg, ar ganol y llwybr concrit gwelsom garreg o faint dwrn. Oddi tani roedd pluen tylluan. Rhoddodd Gwyn ei fagie i lawr ac arbrofi. Cydiodd ym monyn y bluen a'i thynnu'n ysgafn un ffordd ac fe symudodd y garreg i'r un cyfeiriad; yna tynnodd y bluen gerfydd y pen arall a symudodd y garreg gyda'r bluen eto. Roedd hi'n sownd o dan y garreg, fel petai rhywun wedi'i gosod yno!

Croeso adre'n ddiogel!

Gallwch ddiystyru hyn oll yn hawdd iawn, wrth gwrs,

trwy ddeud mai dychymyg dau feddwl rhamantaidd oedd wrthi'n darllen gormod i mewn i ddigwyddiadau digon cyffredin. Ond i Gwyn a finne ar drothwy diwedd canrif, roedd yna bwysigrwydd ysbrydol yn perthyn i'r digwyddiadau hyn a oedd rywsut yn cadarnhau i ni ein bod ni'n dau ar y trywydd iawn!

Y clwy chwerthin

Yn 1989, a minne rhwng 'jobs actio', fel petai, mi es am gyfweliad wedi'i drefnu gan fy asiant, Edna Cassell. Y swydd oedd telynores breswyl mewn gwesty crand o'r enw Lucknam Park, ger Caerfaddon, ac wrth yrru i lawr y dreif hirsyth oedd yn arwain at yr adeilad rhwysgfawr o'm blaen, meddylies,

'Siên – be uffern ti'n neud fan hyn?'

Mae'n debyg fod dyn busnes cefnog o Lunden wedi prynu'r hen dŷ am filiwn o bunnau, ac yna wedi gwario dros chwe miliwn ar y lle i'w drawsnewid yn westy ysblennydd. Roedd yno spa a phwll nofio, bwyty arbennig a hyd yn oed 'helicopter pad'! Doedd y gwesty ddim wedi'i orffen pan es i am fy nghyfweliad, ac mi ganes y delyn yn ymyl berfa drol a thwr o sment, ac i gyfeiliant persain drilio a phwnio!

Wrth i mi fwrw iddi gyda'r 'Deryn Pur' a'r 'Eneth Gadd ei Gwrthod', safai'r perchennog a dau ŵr arall mewn siwtiau drud o'm blaen, yn syllu'n syn arna i a golwg syfrdan ar eu hwynebau fel petaen nhw'n edrych ar greadur o blaned arall. Ro'n i'n meddwl y bydden nhw'n siŵr o ofyn i mi ganu rhywbeth yn Saesneg neu chwarae darn clasurol, efallai, ond cyn i mi gyrraedd y bar ola, medden nhw'n unfryd,

'Yes, wonderful – great – that'll be perfect! When can you start?'

Teithio 'nôl a mlaen rhwng Caerdydd a'r gwesty wnawn i gan amla ond weithiau, ganol yr wythnos, ro'n i'n cael aros ym moethusrwydd y gwesty a hyd yn oed ddefnyddio'r adnoddau. Neis iawn ar un lefel ond roedd 'na rywbeth braidd yn unig am yr holl brofiad.

Un noson, daeth Jane Seymour, yr actores enwog, i'r bwyty gyda'i gŵr. Edrychai fel tywysoges a chofiaf ei bod yn meddu ar bresenoldeb arbennig iawn, ac er gwaethaf ymdrechion gweddill y staff a'r cwsmeriaid eraill i fod yn naturiol ac i beidio â rhythu, roedd yr awyrgylch yn un o barchedig ofn!

Roedd y rhan fwya o'r pyntars yn bobol hyfryd dros ben ond cofiaf un tro i wraig ganol oed ddod i mewn i'r bwyty gyda'i gŵr, ac wrth ateb y gweinydd oedd wedi gofyn ble'r hoffen nhw eistedd, meddai hi mewn llais uchel,

'Anywhere, my dear, as long as it's as far away as possible from the harpist!'

Wedi rhai misoedd, er mawr ryddhad i mi, mae'n rhaid cyfaddef, ces waith gyda chwmni Theatr Man a Man – cwmni theatr mewn addysg dan arweiniad Branwen Cennard, a deithiai ysgolion cynradd y Cymoedd gyda sioeau llawn egni a neges.

Danny Grehan ac Emlyn Gomer oedd fy nghyd-actorion, gyda Branwen yn sgriptio ac actio, a Martyn Geraint yng ngofal y gerddoriaeth. Sioe am fwlio o'r enw *O Gam i Gam* oedd y gynta, a sioe am y diwydiant glo o'r enw *Byw ar y Gwynt* oedd y llall, ac fe gawsom ni'r hwyl ryfedda.

Cofiaf i mi gael pwl o gigls difrifol yn ystod un o sioeau *O Gam i Gam*. Roedd Branwen a minne'n bwrw iddi gyda rhyw olygfa neu'i gilydd ac yn gwbwl ddirybudd 'corpsiodd' y ddwy ohonon ni'n rhacs, a hynny o flaen athrawon a

145

phlant a edrychai arnon ni gyda chymysgedd o ddirmyg a thosturi!

Mae hwn yn gyfle da rŵan i mi gyfaddef gyda pheth cywilydd fy mod i'n un o'r giglwrs gwaethaf erioed, ac mae troeon dirifedi wedi dod i'm rhan lle mae chwerthin ar lwyfan wedi cael y gore arna i.

Cofiaf gael pwl difrifol o chwerthin ym mhlygain Mallwyd un tro. Ro'n i'n ddwy ar bymtheg ac yn un o barti plygain yr ifanc a fu'n crwydro plygeinie'r fro 'nôl yn y saithdege hwyr. Fy Anti Dwynwen ddaeth â ni at ein gilydd: Edfryn a Glandon Foeldrehaearn (dau gefnder i mi) ac Alun Cefne – y tri bellach yn aelodau triw o Barti Cut Lloi; Geraint Pentyrch, Sioned Parc (cyfnither a ffrind arall, ac yn ferch i Anti Dwynwen), a dwy ffrind arall leol, Christine Mills a Iola Baines.

Roedd y cogie'n beryg bywyd pan oedd hi'n dŵad i geisio cadw wyneb syth yn rhai o'r plygeinie yma, yn enwedig o ystyried ein hoedran. Fel y gwyddoch, dydi safon y canu ddim yn ffactor blaenllaw yn y traddodiad plygeiniol. Yn wir, un o'r pethe sy'n ogoneddus am yr holl brofiad yw fod pawb yn medru mynd i fyny i gianu heb fod gormod o bwyslais ar safon y datganiad!

Wrth i'r criw ifanc aros yn amyneddgar am eu cyfle i fynd i fyny, dyma dair hen wraig yn mentro mlaen i'r sêt fawr i ganu eu carol, â'u llyfrau bach rhacsiog yn dynn o dan eu breichiau, y tair yn smart drybeilig yn eu hetiau melfed a'u dillad duon. Gymeron nhw oes mul i setlo a ffeindio'u nodyn gyda'r fforch diwnio, yna bwrw iddi mewn lleisiau soprano uchel a sgrechlyd braidd, ac yn llawn feibrato gorfoleddus! Bu'n ymdrech wedyn i drio cadw wyneb syth a phawb o'r criw ifanc yn stryglo i gadw rheolaeth. Yna, yn ei ffordd ddihafal ei hun, a'r gigls wedi hen gael y gore arno, pwysodd Glandon draw aton ni a gyda pheth atal deud a 'comic timing' perffaith, meddai,

'Ew, sbïwch – y N . . . N . . . N . . . Nolans!'

Aeth hi'n ddiawledig o flêr wedyn, tan i rywun sibrwd 'hisht' go flin arnon ni o'r sêt tu ôl! A ninne'n dal i deimlo'n reit fregus ar ôl y pwl chwerthin, rhaid oedd mentro i fyny i ganu'r garol felltith wedyn. Fi oedd daliwr y fforch, ac yn gyfrifol felly am daro'r nodyn i'r criw. Yn ôl Glandon, mae'n debyg i mi godi fy sgert yn uchel dros fy nghlun a tharo'r fforch diwnio'n galed ar fy mhen-glin. Bu hyn yn ddigon i bawb gychwyn arni eto. I wneud pethe'n waeth fyth, rywbryd yn ystod yr ail bennill syrthiodd clamp o hen bry anferth o'r trawstiau hynafol uwchben, a glanio gyda chlec farwol ar lyfr Sioned! Dyna'r diwedd, a heblaw am ambell nodyn tila gan un neu ddau ohonom, daeth y profiad i ben gyda'r pump ohonom yn agos at redeg yn ôl i'n seti, â'n pennau'n isel iawn mewn cywilydd!

Er nad wyf – yn amlwg – yn falch o'r fath wiriondeb, dydw i ddim am ysgwyddo'r bai yn llwyr chwaith, oherwydd mae'n deg deud mai rhywbeth genetaidd yw'r cyflwr ac felly'n beth anodd iawn i'w reoli! Mae'r Jamsied wedi bod yn enwog trwy'r cenedlaethau am fod yn chwarddwyr afreolus. Ond roedd Mam hefyd yn meddu ar yr un gwendid, ac yn euog o chwerthin yn wirion mewn sefyllfaoedd anaddas gydol ei bywyd.

Fel y noson honno ym Mhlygien Llanerfyl (be ydi o am blygeinie, dwch?), pan ddechreuodd hi ac Anti Dwynwen chwerthin yn gwbwl afreolus yn ystod eu datganiad o garol o flaen eglwys lawn. Miss Rŵm Fech a Miss Rŵm Fawr oedd y ddwy gantores arall, a rywfodd, a hynny gyda chryn hunan-ddisgyblaeth, fe lwyddodd y ddwy athrawes i wrthsefyll yr hysterics wrth eu hymyl – a oedd, erbyn y pennill ola, wedi datblygu'n rhyw fath o ebychiade wylofus, arteithiol.

Ar ddiwedd un o berfformiadau ola *Byw ar y Gwynt*, daeth Tim Baker a Carys Jones o Theatr Gorllewin Morgannwg i ngweld i, a gofyn a oedd gen i awydd ymuno â nhw yn eu cynhyrchiad theatr mewn addysg newydd. *Ac Abertawe'n Fflam* oedd enw'r cynhyrchiad a adroddai hanes y bomio yn Abertawe yn ystod yr Ail Ryfel Byd. Nick McGaughey a Catherine Aran oedd fy nghyd-actorion y tro yma, a Carys yn sgriptio.

Er i mi fod yn ddigon ffodus i fwynhau pob cynhyrchiad theatr y bûm yn rhan ohono, hwn oedd yr un a gafodd yr effaith emosiynol mwya arna i, a bu ei berfformio ddwywaith y dydd yn yr Amgueddfa Diwydiant a Môr yn Abertawe yn bleser pur. Roedd ymroddiad egnïol Carys, a'i gofal dros bob manylyn, yn aruthrol, a medrwn inne uniaethu â'r cymeriadau ar ôl clywed yr holl storis gan Mam am y bomio yng Nghasnewydd, a'i phrofiade hi wrth iddi gael ei 'halltudio' i ganolbarth Cymru.

Bûm yn rhan o gynyrchiadau theatr mewn addysg Theatr Gorllewin Morgannwg am dros ddwy flynedd, ac yn byw bywyd sipsi rhwng Clydach (yn nhŷ Bethan Gwanas), cartref Carys yn Abertawe, ac yn ardal Caerdydd mewn fflat yn Mhenarth, lle roedd tad Gwyn yn byw.

Tich, Angharad a Rhys Mwyn

Yn ystod yr amser ro'n i'n byw ym Mhenarth y dechreuodd Gwyn chwarae'r dryms efo band o'r enw Superclarks. Burke Shelley oedd canwr a basydd y band, Tich Gwilym oedd ar y gitâr a Gwyn ar y dryms. Dyma'r cyfnod y sefydlwyd fy nghysylltiad i â Tich – cysylltiad a barodd hyd ei farwolaeth arswydus mewn tân yn 2005.

Bu'r Superclarks yn gigio o gwmpas tafarndai Caerdydd a'r cymoedd am sawl blwyddyn, ond y prif leoliad lle mae'r rhan fwya yn cofio clywed perfformiadau anhygoel Superclarks oedd y Royal Oak yn Sblot. Bob nos Iau a phnawn Sul byddai'r triawd yn chwarae 'covers' o ganeuon roc i fonllefau gwerthfawrogol y gynulleidfa. Roedd eistedd yn yr Oak yn ystod un o'r gìgs yma'n brofiad bythgofiadwy, a theimlaf yn arbennig o freintiedig mod i wedi bod yn dyst i'r fath athrylith gerddorol.

Does gen i ddim cof sut ddigwyddodd hyn ond un noson cafodd yr hogia brên-wêf! Gofynnodd Tich a Burke i mi fynd â'r delyn draw i'r Oak i ganu cwpwl o ganeuon yn y toriad rhwng eu sets nhw. Roeddwn i'n hynod o amheus ar y dechrau – mae'n rhaid i chi gofio mai un o hen dafarndai'r beicars oedd yr Oak, a llawer o'r pyntars a golwg go beryg arnyn nhw efo'u gwalltiau hir a chotiau lledr.

'Duw, fydd o'n grêt, 'sti,' medde Gwyn yn bositif i gyd.

Gyda chryn berswâd mi dderbynies yr her ac ar noson oer,

149

aeafol, mi es â nhelyn i ganol y beicars i ganu llond dwrn o ganeuon gwerin.

Wel, choeliech chi fyth, ond bu'r profiad yn un cwbwl anhygoel! Dychmygwn ymlaen llaw y byddwn i'n siŵr o gael fy heclo neu o leia'n methu clywed fy hun uwchben y siarad, ond wir i chi, am ba reswm bynnag, roedden nhw'n ddistaw fel llygod. Mae'n debyg fod un gŵr wrth y bar wedi dechrau aflonyddu a siarad yn ystod un gân dawel, ond cydiodd un o'r beicars ym môn ei goler a'i ddwrdio'n chwyrn gan hisian,

'Shut the f— up! The lady's singing!'

Daeth Tich ymlaen ar y diwedd a chanu'r *charango* (math o gitâr fechan o Dde America wedi'i gwneud o gorff armadilo) yn gefndir i'r gân 'Mynwent Eglwys', a theimlwn fel petawn i wedi cyrraedd y nefoedd!

A minne wedi cael bŵst bach o hyder, gofynnes i Tich a fydde fo'n fodlon dod i Fethesda i gyfrannu i sesiwn recordio yn stiwdio Les Morrison. Roedd Les yn un o hoelion wyth y sîn roc ym Methesda ac wedi sefydlu stiwdio recordio lewyrchus yno ar ddechrau'r wythdegau. Roedd Gwyn wedi bod yn fy haslo ers tro y dyliwn i feddwl am neud 'tâp' (fel roedd pethe bryd hynny), a chan fod gen i ambell drefniant o ganeuon gwerin nad oedd eto wedi gweld golau dydd, mi drefnwyd cyfnod o recordio ym Methesda. Yn dilyn y sesiwn honno anfonwyd y tâp at Dafydd Iwan yn Sain, a ches gynnig cyfle i ryddhau CD dan eu label nhw. Ro'n i wrth fy modd.

Rhyddhawyd *Cysgodion Karma* yn 1990 ac yn o fuan ar gynffon hwnnw, yr albym *Distaw*, a Les yn gynhyrchydd y ddau. Yn sgil poblogrwydd y rheiny, rhyddhawyd *Gweini Tymor* ac yna *Di-gwsg* rai blynyddoedd yn ddiweddarach, a daeth mewnbwn cerddorol gan gerddorion fel Stephen Rees yn ganolog i'r sain ro'n i'n ceisio'i pherffeithio.

Yr adeg yma hefyd y dechreuodd perthynas greadigol arall, a hynny gyda'm hen ffrind coleg, Angharad Jones. Crëwyd caneuon sy'n dal yn boblogaidd hyd heddiw, dwi'n falch o ddeud – y gân 'Distaw', er enghraifft; 'Branwen a Blodeuwedd' ac, wrth gwrs, 'Fflyff ar Nodwydd'! Dwn 'im beth yw'r cemeg hwnnw mewn partneriaeth fel hyn sy'n gwneud y broses o greu mor hawdd, ond roedd geiriau Angharad yn ysgogi creadigrwydd ynof fi, ac roedd y cyfan yn brofiad arbennig iawn. Roedd ei dawn yn aruthrol a'i gallu i drosglwyddo teimladau dirdynnol mewn ffordd effeithiol a chraff yn ysbrydoledig. Parhaodd ein cysylltiad proffesiynol a'n cyfeillgarwch hyd y diwedd pan aeth salwch â hi i le tywyll iawn, ac fe'i collwyd yn ddisymwth ddechrau Ionawr 2010.

Bu Tich yn cyfrannu'n helaeth i'm cynnyrch cerddorol am sawl blwyddyn a chawsom yr hwyl ryfedda'n teithio a chyngherdda o gwmpas Cymru ac Ewrop. Fuon ni ar daith ddwywaith yng Ngwlad y Basg a Sbaen, ac i goroni'n hantur deithiol, cawsom wahoddiad yn 1998 i ganu mewn gŵyl werin yn Tokyo. Dyma'r uchafbwynt i Tich, yn enwedig o gofio'i ddiddordeb dwfn mewn *aikido*, sef un o 'martial arts' Japan, a chafodd ef a Geraint Cynan (a fu'n gaffaeliad amhrisiadwy – yn wir, yn gapten llong i f'anturiaethau cerddorol yn dilyn cyfnod Bwchadanas) a minne gyfnod bach bythgofiadwy yng nghwmni brwdfrydig y Japanîs!

Daeth y cysylltiad â Japan trwy frwdfrydedd Rhys Mwyn, oedd yn gweithio i Sain ar y pryd, a sefydlodd Rhys drefniant trwyddedu gyda chwmni recordio JVC yn Tokyo. Rhyddhawyd yr albym *Di-gwsg* ar eu label nhw, a bu ar werth yn Japan am sawl blwyddyn. Coeliwch neu beidio, yn sgil llwyddiant gwerthiant yr albym hwnnw daeth adain Japaneaidd y cylchgrawn *Marie Claire* draw i Gymru i neud erthygl amdana i. Mae'r rhifyn yn dal gen i yn rhywle, er nad oes gen i hyd heddiw unrhyw syniad be ysgrifennwyd!

Roedd Rhys yn un o nghyfoedion yn yr ysgol uwchradd. Yn wir, mi ges damaid o 'crush' arno yn Fform Thri, tan i Huw Graig dynnu'n sylw i! Un doniol a ffraeth iawn oedd Rhys, a byddai Enid a finne mewn hysterics o chwerthin yn ei gwmni yn amal – yn enwedig yn y gwersi Ffrangeg, am ryw reswm. Damia na faswn i wedi cymryd mwy o sylw o Mr Bamford, yr athro Ffrangeg, yn hytrach na giglo'n wirion ar jôcs Rhys – efallai y byddai gen i well crap ar yr iaith nag sydd gen i! Ta waeth, aeth Rhys wedyn trwy ei gyfnod 'blin', fel petai, yn herian pawb a phopeth, a fedrwn i yn fy myw â chysoni'r person annwyl, afieithus y bûm i'n ffrindie efo fo dros y blynyddoedd â'r pync ifanc cecrus oedd mor uchel ei gloch ar y teledu a'r radio!

Mae'n od sut mae llwybrau bywyd yn medru gweu at ei gilydd oherwydd, ar ôl gadael y Superclarks, cafodd Gwyn wahoddiad gan Rhys i ddrymio a theithio gyda'r Anhrefn, y band pync hynod lwyddiannus hwnnw a sefydlwyd gan Rhys a'i frawd, Siôn Sebon. Aeth Gwyn ar deithiau cwmpasog o gwmpas Ewrop gyda nhw dros gyfnod o tua tair blynedd. Roedd Siôn, brawd Gwyn, hefyd yn y band, felly bu'n gyfle i'r ddau greu a theithio unwaith yn rhagor.

Rwy'n ddiolchgar iawn i Rhys Mwyn am ei frwdfrydedd, ac i Dafydd a Sain am eu cefnogaeth dros y blynyddoedd. Ond doedd yr amseru ddim yn iawn, rywsut, a daeth digwyddiad ysgytwol, gwefreiddiol a gwyrthiol i'm rhan (does 'na'm digon o ansoddeiriau i ddisgrifio'r hyn a ddigwyddodd wedyn, a deud y gwir) a'm gorfododd i ailasesu fy llwybr gyrfaol!

Y cynfab – Mabon, ein còg cynta

Yn ystod haf '93 aeth Gwyn a finne i dreulio'n gwyliau yn y Dordogne gyda Nia, mam Gwyn, oedd bellach wedi ymfudo i Ffrainc ers rhyw ddwy flynedd.

Am ei bod hi'n teimlo ei bod eisiau profi rhywbeth gwahanol a chynhyrfus, roedd hi wedi prynu tŷ hyfryd yng nghanol tref fach gysglyd o'r enw Montignac. Tŷ bach gwych yng nghysgod hen gastell oedd rhif 18 Rue de Liberté, â golygfa fendigedig o'r dref islaw, ac fe fydden ni'n mynd draw i aros gyda Nia bob cyfle posib. Wedi cyfnod ar y dechrau a fu'n dipyn o straen arni wrth iddi geisio ymaflyd â biwrocratiaeth cymhleth y Ffrancod, bellach roedd 'la petite Galloise', fel y byddai'r brodorion yn ei galw, wrth ei bodd yn ei chartref newydd. Byddai'n dysgu canu i nifer o drigolion yr ardal a hynny gyda chryn lwyddiant.

Yma yng Nghymru, rydan ni'n tueddu i gymryd ein diwylliant canu braidd yn ganiataol. Mae cerddoriaeth yn rhan mor annatod o'n bywydau ond mae hynny'n bell o fod yn sefyllfa gyffredin mewn llawer gwlad arall yn Ewrop. Doedd Cerddoriaeth ddim yn cael ei gynnig fel pwnc yn ysgolion Ffrainc bryd hynny a doedd fawr neb ar gael i ddysgu offerynnau cerdd na chanu. Bron na faswn i'n deud i rôl Nia ddatblygu o fod yn athrawes ganu gyffredin i swydd therapydd – yn sicr, cynigiai ei chanu fath o therapi i lawer o'i disgyblion hŷn, ac yn sgil ei gofal a'i thynerwch daeth yn berson poblogaidd iawn ym Montignac.

Fel y medrwch ddychmygu, roedd yr ardal fel magned i Brydeinwyr ac roedd yno ryw fath o isddiwylliant o Saeson (gan fwya) a fynnai lynu at eu diwylliant eu hunain, heb fawr o ddiddordeb ym mhobol gynhenid yr ardal. Dyma'r cyfnod pan oedd pawb a'i nain yn prynu *gites* am y nesa peth i ddim, yna'n eu trawsnewid a'u gosod i ymwelwyr. Cymaint oedd poblogrwydd y math yma o beth nes i un ysgol fechan yn y dalaith ddychryn wrth sylweddoli bod niferoedd y plant Saesneg eu hiaith yn fwy na niferoedd y Ffrancwyr. Roedd y ffaith bod clwb criced wedi'i sefydlu mewn tref gyfagos yn sicr yn dangos bod newid mawr ar droed!

Un pnawn, a Gwyn a Nia a finne'n mwynhau gwres yr haul yn yr ardd gefn, tarodd boi o'r enw David i mewn i ddeud 'helô'. Tynnodd gadair at y bwrdd, ac wrth i Nia gynnig *aperitif* yn ôl yr arfer, gofynnodd iddo,

'How's the building work coming along, David?'

Roedd David a'i wraig wrthi'n brysur yn addasu hen adeiladau mewn pentref bach i lawr y ffordd.

'Not so good, Naia, not so good. These damn French, they're a bloody nightmare. You just can't get a decent day's work out of them.'

Cododd aeliau'r tri ohonom mewn syndod.

'Naia, Julie and I were wondering if you'd like to come over to the *gite* for some aperitifs on Friday?'

'Oh well, that would be very nice, David. Very kind. I'm not quite sure what I'm doing yet but . . .'

'We're having a few friends over, you know – just PLUs.' meddai, a chodi'i law at ei geg fel petai'n siarad mewn rhyw fath o gôd dirgel.

'Um . . . PLUs?' gofynnodd Nia mewn penbleth.

'Yes, PLUs. You know, Naia – people like us.'

155

Wel! Jest i ni dagu ar ein pastis!

Wrth gwrs, doedd pob un o'r mewnfudwyr ddim fel hyn, a deuthum yn ffrindie da gydag un wraig arbennig iawn. Saesnes oedd Marie Perret, yn byw mewn tŷ braf yng nghanol un o goedwigoedd y Dordogne gyda'i gŵr o'r Swistir, Daniel. Roedd Marie wedi'i hyfforddi fel seicotherapydd ac roedd ganddi hefyd ddawn i iacháu trwy osod dwylo. Byddai ei gŵr, oedd yn delynor byd-enwog, a hithau'n cynnig cyrsiau a sesiynau iacháu trwy gyfrwng celf, cerddoriaeth a myfyrio.

Roedd golwg tra gwahanol i'r cyffredin ar Marie oherwydd ei bod hi, o ganlyniad i'r cyflwr *alopecia*, wedi colli pob blewyn o'i gwallt yn ogystal â'i haeliau a'i hamrannau er pan oedd hi'n blentyn. Roedd hi'n syfrdanol o brydferth, gyda'i chroen claerwyn, ei hosgo gosgeiddig a'r awyrgylch arallfydol oedd o'i chwmpas. Bron na faswn i'n deud nad oedd hi o'r hen fyd 'ma, a'i bod yn un o'r tylwyth teg!

Un o'r pethe oedd wedi bod yn bla i mi ar hyd y blynyddoedd oedd poenau'r misglwyf, neu'r 'cwmpeini' fel bydde Nain yn eu galw. Er pan o'n i yn fy arddegau, bu pob mis yn her boenus, ac yn amal byddwn yn fy ngwely am ddiwrnod neu ddau. Roedd y sefyllfa bellach yn effeithio ar fy ngwaith – er enghraifft, ces fy rhuthro i'r ysbyty yn ystod cynhyrchiad Theatr Gwynedd o *Enoc Huws* ar ôl llewygu'n ddramatig yn ystod yr ymarferion. Ro'n i wedi cael profion i geisio dod at wraidd y broblem, ond heb unrhyw lwyddiant, felly penderfynes drio rhywbeth gwahanol a mynd am sesiwn iacháu at Marie. Yn sicr, doedd gen i ddim byd i'w golli ac roedd y syniad o orweddian mewn tawelwch heddychlon mewn lleoliad mor brydferth yn apelio'n fawr.

Roedd y sesiwn gynta gyda Marie yn un o wyntyllu

unrhyw ofidiau oedd gen i a'u trafod yn drwyadl. Yna cafwyd y sesiwn iacháu. Roedd y gwres a darddai o'i dwylo'n rhyfeddol, a'r lliwiau a ddawnsiai o flaen fy llygaid caeedig wrth iddi weithio'i hud yn fwy rhyfeddol byth! Daeth y sesiwn i ben gyda Marie yn deud wrtha i nad oedd hi'n teimlo bod fy nghyflwr yn deillio o'r bywyd hwn ond yn hytrach o fywyd blaenorol!

'I don't think you have anything major to resolve in this life,' meddai'n dawel gan wenu. Yna, ar ôl seibiant, gofynnodd yn dyner, 'Do you believe in reincarnation, Siân?'

Roeddwn yn ymwybodol iawn o ailymgnawdoliad fel damcaniaeth er pan oeddwn yn lled ifanc, yn sgil y sgyrsiau y byddwn yn eu cael gydag Yncl Joe a Mam. Ond er mod i wedi cymryd cryn ddiddordeb yn yr athrawiaeth dros y blynyddoedd, do'n i ddim yn siŵr o'n i'n ei chredu.

'How would you feel about experiencing regression?' gofynnodd Marie.

'Is that where you experience your "past lives"?'

'Yes, that's right. I take you to a state of deep relaxation, and then usually – though not always – one experiences what some believe to be lives they have already lived on this earth.'

Ro'n i wedi darllen am *regression* lawer gwaith ac felly roedd gen i syniad beth roedd hi'n ei gynnig. Penderfynes na fyddai'n gwneud unrhyw ddrwg i mi ac y dylwn i fynd amdani. Felly, y diwrnod wedyn, aeth Marie â mi i ystafell bren fawr, heddychlon, a gofyn i mi orwedd ar gynfas ar y llawr. Aeth â mi drwy broses o anadlu'n ddwfn a'm harwain trwy ambell ymarfer i geisio clirio'r meddwl o unrhyw fân feddyliau diwerth. Mi dries fy ngore i gyflawni'r hyn oedd hi'n ei ddeud, ond doedd fawr ddim yn ei amlygu ei hun –

dim lluniau, dim wynebau diarth, dim byd am yr hyn a deimlai fel oes.

'Nothing's happening, I'm afraid, Marie,' medde fi'n siomedig.

'Don't force it, Siân, just wait. Patience.'

Rhagor o anadlu dwfn, a minne erbyn hyn yn dechrau diflasu a theimlo braidd yn rhwystredig. Yn sydyn, fel bollt o fellten, daeth llun i'm meddwl o hen wraig fusgrell yn eistedd mewn ystafell dywyll, a hen ddodrefn trwm, henffasiwn o'i chwmpas. Roedd y cyfan fel ffilm, rywsut, yn datblygu'n raddol yn fy meddwl.

'I see an old woman . . . she has problems with her joints . . . her hands are deformed from arthritis . . . she's bent over and crooked, and her back is humped . . . it's me!' meddwn yn syfrdan. Sylweddoles mai Llydawes o'n i, a bod gen i ŵyr – un ifanc a chryf oedd yn fy ngharico i bobman gan nad oeddwn yn gallu cerdded.

'How do you feel?' gofynnodd Marie.

'Frustrated at being so disabled, but loved . . . Yes, I feel very loved.'

'Do you have anything to resolve here, do you think?'

Do'n i ddim yn meddwl bod, felly penderfynodd Marie y dylien ni symud ymlaen. Ond ro'n i wedi cynhyrfu'n lân erbyn hyn a chymerodd beth amser imi dawelu fy meddwl. Aeth yr hyn a deimlai fel oes heibio unwaith eto, heb ddim byd yn digwydd.

'OK – let's try something a little different. Try looking at your feet in your mind's eye,' cynigiodd Marie. 'That sometimes works well. What do you see, Siân?'

Aeth munudau eto heibio, a welwn i ddim ond fy nhraed fy hun yn wyn a llyfn. Yna'n sydyn, eto mewn fflach, be

158

welwn i ond traed bach budr cnotiog. Dilynes y traed i fyny a gweld coesau croen tywyll a rhyw fath o ddilledyn brown.

Ro'n i'n ddynes eto, yn un o'r Indiaid Cochion, ac ro'n i'n teimlo'n ifanc – yn fy ugeiniau, o bosib. Fedrwn i ddim coelio'r hyn oedd yn ffurfio o flaen fy llygaid caeedig.

'Are you alone?'

'No. I seem to be part of a tribe, though there doesn't seem to be many men around. I don't *think* I have a husband . . . no, I don't have a husband, though I don't know why.'

Gofynnodd be ro'n i'n ei neud. Sefyll o'n i, yn sbio ar blant yn chwarae. Roedd gen i fab – un hardd, tywyll a chanddo wên anfarwol. Wrth ei weld yn chwarae gyda'r plant eraill ac yn chwerthin, roedd y cariad llethol a deimlwn yn gwbwl, gwbwl angerddol.

Gofynnodd Marie i mi symud ymlaen mewn amser. Mewn fflach, ro'n i gyda'r hogyn bach mewn tîpi, ac ar ryw fath o wely pren wedi'i godi oddi ar y ddaear. Roedd yr hogyn yn fy mreichiau ac yn amlwg yn hynod o sâl. Ro'n i'n cyffwrdd ei wyneb a'i wallt ac yn siglo 'nôl a mlaen.

Yn sydyn, ro'n i'r tu allan i'r tîpi ac yn beichio crio, ac amryw o wragedd y llwyth o wahanol oedrannau'n ceisio fy nghysuro. Roedd y galar yn amrwd.

'My son . . . he's dead . . . my beautiful boy is dead.' Dechreues hidlo crio – fedrwn i ddim dal 'nôl, a theimlwn fy holl gorff yn ymateb i'r galar a deimlai mor ddirdynnol o fyw. Roedd y boen yn ysgytwol.

'The women are trying to calm me and hold me but I am beside myself with grief,' medde fi trwy fy nagrau.

'Move forward – move ahead in time,' meddai Marie o weld cymaint ro'n i wedi ypsetio.

Anadles yn ddwfn i geisio sadio fy hun.

159

'It's the day of the funeral. It's raining. Everyone is wailing. He's on a funeral pyre.' Ond do'n i ddim yn wylo. Ro'n i jest yn teimlo'n gwbwl wag ac yn rhythu o mlaen i i nunlle.

Wedi i Marie ofyn i mi symud ymlaen eto, ro'n i'n sefyll wrth fynedfa rhyw fath o dîpi unwaith yn rhagor. Ond doedd hwn ddim fel y tîpis ro'n i wedi'u gweld droeon ar y teledu – roedd o'n fwy sgwar, a'r drysau defnydd wedi'u clymu 'nôl. Gwelwn fy mod yn gwisgo clogyn hir a phlu amryliw ar hydddo, a theimlwn fod gen i swydd bwysig yn y llwyth. Ro'n i'n hŷn, ac roedd fy mab wedi marw ers rhai blynyddoedd. Ro'n i hefyd yn gweld merched a phlant yn sefyll y tu allan yn aros i ngweld i. Teimlwn fy mod yn rhyw fath o feddyg neu gwnselwraig. Ro'n i'n eistedd erbyn hyn, yn gwenu ar ddynes a'i phlentyn, yn cydio'n dyner yn wyneb y plentyn ac yn deud rhywbeth wrth y fam, rhywbeth oedd yn ei gwneud yn hapusach.

'Are you some kind of medicine woman, do you think?'

Ro'n i'n meddwl falle mod i, dim ond mod i'n delio fwya efo mamau a'u plant.

'I'm pretty sure it's some kind of counselling role.'

'How are you feeling now, Siân?'

Yn weddol fodlon oedd yr ateb, er bod y tristwch yn dal yn gignoeth o dan y cwbl. Roedd 'na deimlad o falchder mod i'n gallu helpu eraill ond roedd fy nhristwch personol yn dal i'm llethu.

'Why?'

'Because . . .' Ar y pwynt yma, mi ddechreues feichio crio eto. 'Because I am able to help these women and children, give them comfort, and that gives me great comfort and happiness, but . . . but the sad fact is, I wasn't able to help save my own little boy, and I can't seem to be able to accept that fact. I can't seem to be able to come to terms with that.'

Fues i'n wylo wedyn am yr hyn a deimlai'n amser hir iawn, ac o'r diwedd aeth Marie â mi ymlaen mewn amser unwaith eto, y tro hwn at fy marwolaeth fy hun. Roeddwn yn sefyll yn y babell ac yn gafael yn dynn yn fy ngwddw a mrest, ac yna'n disgyn yn swp i'r llawr. Yna gweles fy nghorff ar goelcerth, ac am y tro cynta ces olwg iawn ar fy wyneb, gan fy mod fel petawn uwchlaw'r hyn oedd yn digwydd yn hytrach nag yn rhan ohono.

Yn gorwedd ar y gwely pren roedd gwraig fach arw yr olwg, un fechan â chroen tywyll fel lledr. Roedd ei hwyneb – fy wyneb i – yn llawn rhychau ond teimlwn nad oeddwn lawer hŷn na deugain oed. Er bod yr angladd yn achlysur trist, doedd mo'r un awyrgylch yno ag oedd yn angladd yr hogyn bach. Roedd yn sefyllfa naturiol, dderbyniol – yn un o ryddhad.

Arweiniodd Marie fi ymlaen mewn amser eto, a rŵan ro'n i'n teithio'n gyflym dros y ddaear – daear sych iawn ond hynod o brydferth. Ro'n i'n edrych arni am y tro ola, fel petai, ac yn teimlo cariad angerddol tuag ati. Er hynny, ro'n i'n falch o'i gadael hi ar ôl.

'I feel as if I'm going up . . . up . . . I can see my little boy. He's standing with some adults. I'm looking at him with absolute wonder. He has seen me and is running towards me. I'm holding him tightly in my arms once more and I don't want to let go.'

'Is he saying anything to you?'

'Yes – he says how sad he was to see how lost I seemed when he had to leave. He wanted to tell me that he was surrounded by people who loved him, and that I shouldn't have been so sad.'

Daeth y sesiwn i ben gyda Marie'n gofyn a oedd 'na unrhyw beth arall – rhywbeth ro'n i'n teimlo mod i isio'i ddeud.

'Yes . . .' meddwn, ac am ryw reswm na fedraf mo'i esbonio, daeth y geiriau canlynol o ngheg i,

'I just want to say that life is transient, and that the only important thing is love.'

Daeth Marie â mi'n ôl i'r presennol yn ofalus a gofyn o'n i'n iawn. O'n, ond ro'n i wedi blino'n rhacs, yn emosiynol ac yn gorfforol. Roedd y cyfan mor fyw.

Yn anhygoel, roedd tair awr, bron, wedi pasio er dechrau'r sesiwn, er ei fod yn teimlo'n debycach i hanner awr! Fedrwn i ddim coelio'r peth. Codes a llusgo fy hun i'r tŷ bach a gweld o'r olwg arna i yn y drych fy mod wedi bod trwy'r mangl go iawn. Er hynny, gwyddwn fy mod newydd brofi rhywbeth cwbl anhygoel ac anghredadwy, a phrin iawn. A finne wedi meddwl mod i'n mynd i gael awran fach hamddenol braf yn sŵn yr adar bach ac awelon mwyn y goedwig!

Wrth adrodd yr hanes wrthoch chi heddiw ac ail-fyw'r prynhawn tyngedfennol hwnnw, mae'n anodd cyfleu'r effaith gafodd y profiad arna i. Ces fy ysgwyd yn ddirfawr gan yr holl ddigwyddiad – wedi'r cyfan, am gyfnod byr mi fues i'n un o lwyth yr Indiaid, yn *shaman* o ryw fath, ac yn bennaf oll yn fam a gollodd ei phlentyn. Mae'r emosiynau'n parhau i fod yn fyw hyd heddiw, ac yn dal i'm cyffwrdd i pan adroddaf y stori.

Wel, mi ges wared o felltith y poenau misol, beth bynnag, oherwydd o fewn dau ddiwrnod i'r *regression*, ro'n i'n disgwyl ein mab cynta!

Ar ôl sawl sioe wych gyda Theatr Gorllewin Morgannwg, daeth cynnig hyfryd oddi wrth Theatr Bara Caws i ymuno â chast *Lawr y Lôn* gan Myrddin ap Dafydd. Roedd un o'r actorion wedi tynnu allan a dyna pam ces i'r cynnig.

Ro'n i'n uffernol o nerfus yn cychwyn y job arbennig yma, a deud y gwir. Nid yn unig ro'n i'n gorfod symud o Gaerdydd i'r gogledd unwaith yn rhagor, ond dyma gwmni oedd yn hen lawiau ar y busnes a theimlwn fel petawn yn cael fy nhaflu i ddyfroedd dyfnion go iawn!

Merfyn Jones, Maldwyn John a Catherine Aran oedd fy nghyd-actorion, gyda Tony Llywelyn yn cyfarwyddo. Diddrwg didda o sioe oedd hi, a deud y gwir, a llugoer fu'r ymateb iddi, er i ni gael ufflon o hwyl yn ei gneud hi.

Dilynwyd honno gan sioe o'r enw *Siarad ar eu Cyfer* gan Twm Miall, gydag Eilir Jones yn ymuno â'r cast i ddod â chwa o awyr iach i'r holl brofiad, yn ogystal â rhagor o gorpsio ar lwyfan!

Yn dilyn y ddrama honno symudwyd safle'r cwmni i Gibyn yng Nghaernarfon a bûm yn rhan o'r ddrama *Diwedd y Byd* gan Meic Povey, gyda'r un cast ag un *Lawr y Lôn*. Drama wych oedd hon – yn seiliedig ar ddigwyddiadau ym mywyd Meic ei hun – am bedwar plentyn ifanc yn tyfu i fyny yn ardal Nant Gwynant.

Tra o'n i wrthi'n ymarfer *Diwedd y Byd* ces ganiatâd hael gan Bara Caws i fynd ar daith fer i Friesland yn yr Iseldiroedd, gyda Tich, Cynan a Gwyn, a Rhys Mwyn yn gyrru'r fan. Cofiaf i'r teithio ei hun fod yn arteithiol, ag oriau diddiwedd yng nghefn y fan. Roedd Rhys a Gwyn wedi hen arfer gyda'r math yma o deithio hegar ond rhaid cyfaddef i mi ffeindio'r holl beth yn reit galed. Doeddwn i ddim yn teimlo'n rhy iach, a deud y gwir, a bu'n dipyn bach o ymdrech o'r dechrau i'r diwedd! Serch hynny, roedd y cyngherddau'n wych, ac unwaith eto ces fy synnu at ymateb cynnes cynulleidfaoedd tramor a'u brwdfrydedd tuag at gerddoriaeth Gymreig.

Mi ddois yn ôl i ymarferion *Diwedd y Byd* un bore Mawrth yn teimlo fel cadach lestri. Fedrwn i ddim deall y peth ac wrth gael paned amser baet (gair sir Drefaldwyn am snac canol bore), medde fi wrth Cath Aran,

'Iesgob, dwi'm yn teimlo'n hanner da, 'sti. Dwi'm yn gwbod be sy'n bod arna i, wir.'

'Ti'm yn disgwyl, wyt ti?' gofynnodd Cath gan chwerthin.

'Disgwyl? Nagdw, siŵr! Wel . . . argol fawr . . . dwi'm yn meddwl, beth bynnag.' Yn sydyn iawn roedd gen i amheuon. Fedrwn i ddim bod yn siŵr! Erbyn y noson ganlynol roedd gen i declyn i brofi'r naill ffordd neu'r llall. Daeth Gwyn adre'n hwyr iawn y noson honno ar ôl rhyw gìg neu'i gilydd a sleifio i'r gwely gan ofyn yn ddistaw,

'Gymerest ti'r test?'

Gwenes arno drwy'r gwyll.

'Do.'

'Ie, a . . .?'

'Helô, Dadi!'

Roedd Gwyn a finne wedi mopio'n lân! Roedd yr holl beth yn teimlo mor 'iawn' rywsut, yn enwedig yn sgil y profiad ro'n i wedi'i gael yn y Dordogne. Deud wrth y teulu oedd y peth mawr rŵan!

Y penwythnos hwnnw aethom yn ôl i Lanerfyl yn ôl ein harfer, a thros baned yn y gegin fe ddwedson ni wrth Dad yn gynta ac yna i ystafell Mam i ddeud y newyddion wrthi hi. Ar ôl inni ddeud wrth Mam, a chael ymateb reit gynnes ar y cyfan, cerddodd Dad i'r ystafell ac medde hi wrtho a hanner gwên ar ei hwyneb,

'Well, what do you think of this girl being pregnant then?'

'Mmm . . . well . . . that's the way the cookie crumbles, I suppose,' medde Dad, â rhywfaint o siom yn ei lais.

'Well, good God – what do you expect? They've been at it long enough!'

Jest i Gwyn ddisgyn oddi ar ei gadair mewn embaras, a chwarddes inne'n iach!

Ganwyd Mabon Erfyl ap Gwyn mewn ysbyty yn yr Amwythig ar 27 Mai 1994, ar ôl genedigaeth hir iawn (tridie o'r dechre i'r diwedd!). Mi dries i ngore i eni'r hogyn yng Nghymru, yn Ysbyty'r Trallwm lle bu mam yn fydwraig, ond er gwaetha f'ymdrechion rhaid oedd cael fy nhrosglwyddo mewn ambiwlans i'r Amwythig er mawr siom i'r ddau ohonon ni. Does dim rhyfedd i mi gael y fath drafferth yn ei wthio fo allan – roedd o'n glamp o gòg, a rhoddodd y fydwraig waedd o anghrediniaeth wrth ei osod ar y glorian.

'Oh, my goodness – he's *huge*! Ten pounds twelve ounces! It's no wonder he took a while to come out!' Roedd gen i syniad go lew ei fod o'n lwmpyn go drwm gan y byddai Mam yn chwerthin yn afreolus wrth fy ngwylio'n cloffi o gwmpas y lle fel hen chwaden.

'Oh, my God, Siân, you're enormous!' fyddai hi'n ei ddeud gyda chryn lawenydd.

Wedi'r gwthiad gorfoleddus olaf, a chyda gwaedd anifeilaidd bron, taflwyd Mabon bach i mewn i mreichiau fel tawn i'n derbyn pàs mewn gêm rygbi, a chwerthin a gweiddi cynhyrfus Gwyn a'r bydwragedd yn atsain yn fy nghlustiau.

Does dim modd disgrifio'r hyn a deimles yn yr eiliadau

hynny. Feddylies i rioed ei bod hi'n bosib teimlo'r fath gariad dirdynnol ag a lifodd drosta i fel tswnami wrth sbio trwy nagrau ar y greadigaeth fach berffaith yma'n gyrnio o mlaen i. Mi fedra i ddirnad torcalon (yn lled amal yn ystod salwch fy mam, byddwn yn teimlo'r fath dristwch nes byddwn yn meddwl bod gen i boen yn fy nghalon), ond wyddwn i ddim y medrai'r math hwnnw o boen ddod hefyd wrth deimlo cariad. Feddylies i y byddwn i'n ffrwydro!

Fe'm trosglwyddwyd yn ôl i Ysbyty'r Trallwm yn o sydyn, a daeth Mam a Dad i ngweld i. Bu dagrau melys o lawenydd yn gymysg oll â rhai heilltion o dristwch. Roedd Mam mewn cadair olwyn erbyn hynny a'i defnydd o'i dwylo yn ogystal â'i choesau wedi dirywio'n ddirfawr, a theimlai'n rhy fregus i afael yn ei hŵyr. Ar ben hynny roedd ei lleferydd wedi gwaethygu i'r fath raddau nes mai fi yn unig allai ei deall hi'n siarad. Roedd y foment yn gymysgedd emosiynol o rodd a cholled.

Rhois Mabon yn ei chôl a gafael ynddi'n dynn, a bu'r ddwy ohonom yn beichio crio.

'He's beautiful,' meddai'n ddistaw.

Jyglo uffer!

Oddeutu tri mis ar ôl geni Mabon, mi ges alwad ffôn gan Angharad Jones oedd yn gweithio i Ffilmiau'r Nant ar ddrama gyfres newydd i S4C o'r enw *Pengelli*.

'Dwi'n gweithio ar y gyfres 'ma, a meddwl o'n i tybed fydde gen ti diddordeb mewn derbyn un o'r prif rannau?'

Es i'n fud! Typical, meddylies – rioed wedi cael cynnig unrhyw ran actio sylweddol gan S4C, a rŵan dyma fi'n cael cynnig gwych a finne ddim ond jest yn dechrau cael fy mhen o gwmpas bod yn fam! Cyfraith y sòd, 'ta be?!

'Rho gwpwl o ddyddie i mi feddwl . . . ddo i 'nôl atat ti.'

Bu Gwyn a finne'n trafod am oes mul! Roedd yr holl beth yn teimlo'n rhy fuan ar ôl geni Mabs bach. Byddai'n rhaid wynebu'r dryswch o symud o'r nyth bach cyfforddus yn y Gardden a dod o hyd i rywle addas i fyw yn y gogledd, a gorfod addasu'n bywydau i fyw mewn dau le. Roedd yn hanfodol i mi y byddai Gwyn a Mabon efo fi ar y set yn ystod y ffilmio, gan nad o'n i'n mynd i roi'r gorau i fwydo ar y fron dan unrhyw amgylchiadau. Petaen nhw'n fodlon derbyn hynny, 'swn i'n derbyn yr her.

Fuodd Ffilmiau'r Nant yn grêt! Alun Ffred oedd wrth y llyw, a chwarae teg iddo mi fuodd o a'r criw ffilmio'n hynod o hyblyg – ond doedd hi ddim yn hawdd!

Liz oedd enw fy nghymeriad – cymeriad *high maintenance* oedd wedi'i sbwylio'n rhacs. Rhedeg busnes hen bethau gyda'i thad yn un o'r unedau ar stad ddiwydiannol Pengelli oedd hi.

Braint oedd cael gweithio efo Gaynor Morgan Rees, Nerys Lloyd, Gwyn Parry a Llŷr Ifans, yn ogystal ag ailgysylltu â Maldwyn John unwaith eto. Chwaraeid y *love interest*, fel petai, gan Rhys Richards. Yn ystod y gyfres roedd Liz yn mynd oddi ar y rêls braidd ar ôl colli'i thad ac yn cael carwriaeth efo dyn busnes oedd yn cael ei actio gan Bryn Fôn. Roedd yr her yn wych ac mi fwynheais y gwaith yn aruthrol, yn enwedig y cyfle i snogio dau bishyn fel Rhys a Bryn heb deimlo'n euog! Roedd y cast yn ffantastig a'r ymateb i'r gyfres yn ffafriol iawn.

Ond does dim dwywaith nad oedd fy mhen i ym mhob man, a ches fy nhynnu'n rhacs gan yr euogrwydd mod i'n colli amser amhrisiadwy efo Mabon. Roedd Gwyn yn anhygoel o dda ac yn ymgnawdoliad perffaith o'r 'dyn newydd' – nid peth hawdd oedd hongian o gwmpas ar set sioe deledu efo babi bach tri mis oed a cheisio'i gadw'n dawel a diddig am oriau maith. Cofiwch chi, roedden ni'n ffodus iawn bod Mabon yn fabi bach mor hapus a di-gŵyn, a heblaw am y patshys gwlyb o laeth a ymddangosai ar fy nillad drud ddwywaith neu deirgwaith y dydd, aeth pethe rhagddynt yn gymharol rwydd o dan yr amgylchiadau. Roedd Llinos, y ferch a ofalai am y gwisgoedd, yn hawddgar dros ben wrth geisio cadw nillad i'n sych gyda'i sychwr gwallt, yn ogystal â Rhian Mair a fu mor hynod amyneddgar wrth gyfarwyddo'r heffer laethog ag o'n i!

Roedden ni'n aros mewn bwthyn bach hyfryd ym Mhentir o'r enw Tyddyn Cogrwn Bach a oedd yn eiddo i fam Nerys, sef Glenys Lloyd yr awdures. Tŷ bach hynafol yng nghanol y coed oedd o, felly teimlwn yn gartrefol dros ben yno. Fuon ni hefyd yn aros yn y Felinheli yn nhŷ Sioned, merch Anti Dwynwen, a thra oedden ni yno daeth cynnig diddorol iawn i'm rhan.

Ces alwad gan Sain i ddeud bod gŵr o'r enw Stephen Endelmann isio sgwrs efo fi ynglŷn â chanu ar sgôr ffilm roedd o wrthi'n ei chyfansoddi – hynny ar ôl clywed yr albym *Distaw*. Duw a ŵyr sut cafodd o afael ar yr albym hwnnw ond mae'n debyg ei fod o wrth ei fodd efo fo!

Americanwr oedd Stephen, yn byw yn Efrog Newydd, a'r ffilm oedd *The Englishman Who Went Up a Hill But Came Down a Mountain* efo Hugh Grant yn y brif ran. Aeth Gwyn, Mabon a finne i lawr i Lundain ac aros ym moethusrwydd yr Hilton. Dreulion ni ddiwrnod cofiadwy iawn yn Abbey Road yn recordio trac llais gyda cherddorfa symffoni rhywle neu'i gilydd. Fedrwn i ddim coelio'r peth – dyna lle ro'n i'n sefyll ym mhrif ystafell recordio'r adeilad, yn yr union le, fwy neu lai, y buodd y Beatles wrthi! Teimlwn yn lodes lwcus iawn.

Lot o warblo a wwwwian wnes i'r diwrnod hwnnw, ond drannoeth mi fues i'n recordio cân yn yr Olympic Studios a fyddai, gobeithio, yn brif drac y ffilm a'r albym arfaethedig. Fedrwn i ddim coelio pa mor ddi-hid oedd Stephen ynglŷn â'r holl beth. Doedd ganddo 'run gân fel y cyfryw i'w chynnig i mi, dim ond cerdd Japanaeg am fynydd wedi'i chyfieithu i'r Saesneg! Aeth Gwyn ati dros baned i gyfieithu rhan ohoni i'r Gymraeg (roedd Endelmann wrth ei fodd efo'r syniad o gael cân ddwyieithog!) a'r cwbwl nath o wedyn oedd dewis un thema flaenllaw o'r sgôr a'i datblygu ar y piano, a finne'n llunio'r alaw wrth fynd ymlaen. Ffor' 'gosa go iawn!

Chafodd y gân mo'i chynnwys ar y ffilm yn y diwedd ond mae hi ar yr albym o'r sgôr a ryddhawyd gyda'r ffilm.

Roedden ni'n dal i deithio 'nôl i'r Gardden bob cyfle gaen ni – rhywbeth oedd yn rheidrwydd wrth i iechyd Mam ddirywio fwyfwy bob dydd. Roedd y straen ar Dad yn amlwg, ac er nad o'n i'n medru gwneud llawer gan fod fy nwylo mor llawn gyda Mabon, ro'n i'n gobeithio bod y ffaith mod i o gwmpas o leia'n rhoi rhywfaint o gysur i'r ddau.

Un diwrnod, yng nghanol cyfnod ffilmio *Pengelli*, aethom adre er mwyn i mi fynd â Mam i'r ysbyty i gael gweld arbenigwr deintyddol. Roedd hi wedi bod yn cael trafferth â'i dannedd ers tro o ganlyniad i sgileffeithiau'r cyffuriau a gymerai rhag poen.

Mae'r rhan fwya'n tybio mai salwch di-boen yw MS ond nid felly buo pethe i Mam: byddai'n cael poenau annifyr yn ei choesau – 'wellington boot syndrome' y byddai hi'n ei alw fo oherwydd temlai fel petai welington wlyb a thyn yn gwasgu'n gyson am ei choesau – a dioddefai hefyd o boen cefn drwg o ganlyniad i'r gorweddian parhaus. Bu'n cymryd tabledi Codeine Phosphate am flynyddoedd lawer, ac achosodd y rheiny i'w dannedd bydru.

Roedd gan Mam druan ofn deintyddion. Cofiaf fynd efo hi at y deintydd yn y dre pan o'n i'n blentyn oddeutu deg oed a gafael yn dynn yn ei llaw i'w chysuro! Felly roedd yr holl brofiad yn artaith iddi.

A rŵan, eisteddai'r ddwy ohonon ni yn ystafell y deintydd (neu'n hytrach y ddeintyddes) – fi'n dal llaw Mam a hithe'n eistedd yn ei chrwb yn y gadair olwyn, yn methu dal ei phen i fyny. Ceisiwn 'gyfieithu' yr hyn roedd Mam yn trio'i ddeud ac ymdrechu i drosglwyddo'i gofidiau. Dywedodd y ferch ifanc, yn nawddoglyd braidd,

'I think we are going to have to extract those bad teeth,

Mrs James. Would you like a general anaesthetic since you don't feel too happy about the situation?'

Nodiodd Mam ei phen ag arddeliad. 'Yes, definitely,' medde hi'n floesg.

'No problem,' medde'r ddeintyddes.

Bu distawrwydd yn yr ystafell am rai eiliadau a finne'n sbio'n hurt ar yr hogan. Wedi'r cyfan, dyma glaf o'i blaen oedd yn ei dyblau yn ei chadair, yn amlwg yn hynod o sâl, ac roedd hon yn trin y sefyllfa fel petai hi'n wraig holliach. Fedrwn i ddim deall y peth.

'Do you think that's wise given the circumstances?' medde fi o'r diwedd.

'Why do you say that?' gofynnodd.

'Well, is it wise to give her a general anaesthetic considering how bad her MS is?' Edrychodd y ferch yn syn arna i a dechrau byseddu'r nodiadau'n frysiog.

'Um . . . MS? Um . . . oh yes, right, there doesn't seem to be any reference here to that.'

'What did you think was wrong with her?' medde fi â pheth dirmyg yn fy llais erbyn hyn.

'Give me a minute and I'll check with Mr Brown.'

Fedrwn i ddim coelio'r peth!

'I *want* to be put to sleep,' medde Mam yn biwis wrtha i ar ôl iddi adael yr ystafell.

'Wn i, dwi jest isio bod yn siŵr bod hynny'n iawn, 'na i gyd.'

Daeth y ferch yn ôl a datgan bod y prif arbenigwr yn hapus iddi gael *general anaesthetic,* dim ond iddi gael y profion *pre-op* addas. Ond do'n i ddim yn hapus.

Ymhen pythefnos aeth Mam i mewn i gael y driniaeth yn Ysbyty Amwythig gyda Dad a minne'n gwmni iddi. Ar ôl ei setlo hi yn y ward a sicrhau ei bod yn gyfforddus, aeth Dad a minne am dro i'r dre am damaid o ginio hwyr ac yna dychwelyd am bump o'r gloch yn ôl y cyfarwyddiadau. Am ryw rheswm doedd dim sôn amdani yn y ward, a'r nyrsys fel petaen nhw'n ansicr ble roedd hi.

'She must be in the day room waiting for you.'

Dyna lle roedd Mam yn trio yfed paned o goffi poeth trwy welltyn a hynny gyda chryn drafferth. Roedd golwg wan arni, a'i cheg wedi chwyddo o ganlyniad i'r driniaeth.

'Take me home,' meddai'n flinedig.

Ar ôl siwrne annifyr o dawel adre, roddon ni Mam yn ei gwely a phenderfynu aros am dipyn i neud yn siŵr ei bod hi'n iawn. Cofiaf ei bod hi'n annaturiol o ddistaw a fedrwn i gael fawr o sgwrs ganddi, ond penderfynes mai cysglyd ar ôl yr anaesthetig oedd hi.

Daeth Gwyn i lawr o'r Gardden efo Mabon, oedd erbyn hynny'n despret am ffidan. Mae Gwyn yn cofio mynd i mewn i weld Mam, ac iddo ddeud 'Nos Da' wrthi a chau'r drws ond bod Mam wedi gweiddi arno i ddychwelyd. Ddudodd hi ddim byd wrtho wedyn, ond rhoddodd Gwyn goflaid iddi a rhoddodd hithau ei braich o'i gwmpas a'i wasgu'n dynn.

Wrth i'r noson fynd yn ei blaen sylwes fod rhywbeth mawr yn bod. Doedd hi ddim yn ymateb o gwbwl ac roedd ei llygaid yn annaturiol o syn. Ffoniwyd y meddyg a'r ambiwlans, ac o fewn dim roedd Mam a finne ar ein ffordd yn ôl i'r ysbyty, y golau glas yn fflachio a'r paramedics yn edrych yn ofidus iawn. Dalies ei llaw a cheisio cael rhyw fath o ymateb oddi wrthi.

'Mami, gwasga'n llaw i os wyt ti'n clywed fi. Mami . . . wyt ti'n clywed fi?'

172

Dim byd. Rhwbies ei boch yn dyner a deud wrthi mod i'n ei charu hi, ac i beidio â phoeni, y byddai popeth yn iawn. Rhuthrwyd hi i casiwalti ac fe'm hwrdiwyd inne i mewn i stafell fach ochor. Cofiaf sylwi ar y papur wal blodeuog a'r lamp fach rad ar fwrdd pren bychan a edrychai mor anaddas, rywsut, o ystyried difrifoldeb y sefyllfa, a dechreues bendroni faint o bobol oedd wedi derbyn newyddion drwg yn yr ystafell fach ffug-gyfforddus hon. Meddylies am Mam ar ei phen ei hun bach yn un o'r ystafelloedd triniaeth a theimles yn aruthrol o warchodol ohoni. Fel ro'n i'n codi i fynd i ofyn gawn i fod efo hi, daeth meddyg i mewn i'r ystafell.

'Your mother is very ill, I'm afraid.' Yna, mor ffwr-bwt â phetai hi'n gofyn faint o'r gloch oedd hi, meddai,

'I need to ask whether you want us to resuscitate.'

'I'm sorry – what did you say?'

'I know it's difficult, but we have to ask . . . Do you want us to resuscitate your mother?'

Roeddwn i'n gweld ei gwefusau hi'n symud ond roedd yr hyn oedd yn dod allan o'i cheg mor bisâr nes o'n i methu ateb. O'r diwedd, a'r awyrgylch fel plwm,

'We love our mother very much,' meddwn. 'Just do what you can.'

Roedd Mam druan wedi cael llond bol ar gwffio'r salwch felltith yma ers tro ac roedd ei dyddiau hir yn yr ystafell fach dywyll lawr staer lle cysgai a bwyta a gwylio oriau maith o deledu yn arteithiol iddi. Roedd ei hiselder erbyn hyn yn llethol, a'r awyrgylch tywyll a'i hamgylchynai'n effeithio nid yn unig arni hi ond ar y rhai o'i chwmpas oedd yn ei charu.

Cofiaf un prynhawn yn arbennig. Ro'n i'n cadw cwmni

iddi yn ei stafell ac yn ceisio codi'i chalon efo rhyw stori neu'i gilydd, ac meddai'n gadarn,

'Siani – if I feel I've had enough, would you help me? Would you help me die?'

Fedrwn i ddim credu be oedd hi'n ei ofyn imi.

'Mami fach . . . paid â gofyn hynna i mi. Fedri di ddim. I couldn't . . .' Roedden ni'n dwy mewn dagrau, ac o'r diwedd medde hi,

'It doesn't matter – forget I said anything.'

Dyna'r tro cynta a'r tro ola iddi grybwyll y fath beth. Er bod cynorthwyo rhywun i farw yn gysyniad gweddol gyffredin erbyn heddiw, neu o leia'n cael ei drafod yn agored, bryd hynny roedd o'n rhywbeth cuddiedig iawn. Gwn y byddwn heddiw wedi trafod y peth ymhellach efo hi ond am ryw reswm cau i fyny mewn ofn wnes i. Wedi'r cyfan, dim ond newydd ddod â bywyd bach newydd sbon i'r byd ro'n i, heb sôn am orfod ystyried rhoi help llaw i ddiweddu bywyd arall. Ond rwy'n teimlo'n euog hyd heddiw am beidio â'i drafod efo hi.

Yn yr ystafell aros, torrwyd ar draws fy meddyliau tywyll gan Lloyd, oedd wedi dilyn yr ambiwlans yn ei gar, yn rhuthro i mewn i'r ystafell a'i wynt yn ei ddwrn. Steddon ni'n dau mewn distawrwydd am yr hyn a deimlai fel oes. Yn sydyn gweles fod Lloyd yn ymladd i gael ei anadl, ac yn amlwg yn cael rhyw fath o dro annifyr. Safodd ar ei draed mewn rhyw fath o banig.

'Be sy mater? Ti'n iawn?' Mewn llais llawn ofn, ceisiodd ddisgrifio be oedd yn bod. 'Tisio i mi neud rwbeth?' meddwn i wedyn. 'Ti'n mynd i dwlu fyny . . . be ddiawl sy'n bod a'na ti?'

'Dwi'm yn gwbod. Dwi'n teimlo'n uffernol o ryfedd . . .

174

Dwi'm yn gwbod be ddiawl sy'n bod arna i.'

Mi barodd y tro am rai munudau ac fel ro'n i'n codi i nôl rhywun daeth cnoc ar y drws, a daeth y meddyg a nyrs arall i mewn a sefyll wrth y drws. Bu distawrwydd am rai eiliadau, ac yna ar ôl datgan mewn ffordd glinigaidd eu bod wedi gwneud popeth fedren nhw o dan yr amgylchiadau, meddai'r meddyg,

'. . . but despite our best efforts, I'm very sorry to have to tell you that your mother has just passed away.'

Roeddwn i wedi dychmygu'r foment yma sawl gwaith dros y blynyddoedd ond does dim byd yn eich paratoi ar gyfer y geiriau hyn. Teimlai fel 'sa rhywun wedi rhoi slap i mi. Camodd Lloyd ata i a nghofleidio, a rywsut, yng nghanol yr holl emosiynau 'derbyniol' o sioc a gwacter a lifai droston ni, roedd rhywfaint o ryddhad hefyd. Trwy'r dagrau fe geision ni gysuro'n gilydd trwy adrodd yr hen ystrydeb arferol bod ei dioddefaint hi drosodd a'i bod hi bellach yn ddi-boen, ond doedd hynny'n fawr o gysur a deud y gwir. Y gwir amdani oedd ein bod wedi colli Mam. Roedd y wraig unigryw honno a fu'n ddylanwad mor fawr arnon ni'n dau, â'i chymhlethdodau a'i thueddiadau ecsentrig, ei hiwmor dihafal, ei chyfeillgarwch a'i gonestrwydd digyfaddawd – ac yn bennaf, wrth gwrs, ei chariad – wedi'n gadael ni.

Ar ôl dychwelyd i Bryntanat a thorri'r newyddion i Dad, gwyddwn o'r olwg yn ei lygaid ei fod o'n gwybod eisoes ei bod hi wedi mynd. Er gwaethaf ein cynigion i aros gydag o mynnai fod yn well ganddo fod ar ei ben ei hun. Dyna oedd ein teimladau ni'n tri, dwi'm yn amau, a'r oll fedrwn i feddwl amdano oedd gafael yn Mabon bach a'i fwydo yng ngolau cysurlon y tân a theimlo breichiau cynnes Gwyn amdana i.

175

Gwyddwn yr eiliad honno fod popeth yn union fel y dyle fo fod.

Rwyf wedi meddwl lot am yr hyn a ddigwyddodd i Lloyd yn y munudau hynny cyn clywed bod Mam wedi marw. Roedd o'n amlwg wedi profi ymadawiad Mam â'r bywyd hwn mewn ffordd uniongyrchol iawn. Er i berthynas y ddau fod yn un danllyd iawn o bryd i'w gilydd, Lloyd oedd y cyntafanedig ac roedd y cysylltiad yn un anesboniadwy o gryf. Does dim rhyfedd, felly, i'r profiad o dorri'r cysylltiad hwnnw – y llinyn anweledig rhwng mam a'i phlentyn – fod yn un mor ddwfn ac ysgytwol.

Rai wythnosau ar ôl ei marwolaeth ces freuddwyd – breuddwyd, unwaith eto, a roddodd gryn gysur i mi. Roedd fy nhad a minne'n sefyll mewn cae o'r enw Ciae Draens ger y Gardden, ac mi glywon ni gar yn rhuo mynd i lawr yr wtra. Roedd y car yn mynd ar y fath gyflymdra nes bod cerrig a llwch yn fflio i bob man. Yn y car eisteddai Mam yn sbio'n gadarn yn ei blaen, ac meddai Dad wrtha i yn y freuddwyd,

'Lle ddiawl ma dy fem yn mynd rŵan ar gymint o hest?'

Yn sydyn, roeddwn i lawr wrth y goeden damsons a safai wrth y llidiart gwaelod. Yno o dan y goeden gorweddai Mam mewn gwely, ac meddai wrtha i a gwên wybodus ar ei hwyneb,

'Siani Bwt, I want you to know that I'll be with you some of the time but I won't be able to be with you all the time. You see . . . there is so much I have to do!'

Deffrais gan wybod yn fy nghalon bod Mam yn iawn, a'i bod hi wrthi'n brysur yn rhywle yn sortio a threfnu popeth, ond nad oedd ei chorff yn faen tramgwydd iddi bellach.

Gwern yr eilfab a thylluan wen

Daeth Gwern i'r byd ym mis Mawrth 1996 (un mis ar ddeg ar ôl inni golli Mam), yn fwndel nobl, llond ei groen.

Y tro yma llwyddes i hymian fy ffordd trwy'r holl enedigaeth wrth siglo 'nôl a mlaen mewn cadair siglo fel rhywbeth ddim yn gall. Roeddwn wedi dod o hyd i nodyn dwfn, perffaith, a oedd rywsut yn lleddfu rhywfaint ar y boen – er mawr flinder i'r bydwragedd o'm cwmpas, dwi'n siŵr!

'Are you sure now you don't want some gas and air, Siân? Some pethidine, maybe?'

'Hmmm . . . no, no, it's fine . . . hmmm . . . really . . . hmmm!'

Dwi'm yn ama nad oedden nhw'n meddwl mod i wedi colli arnaf fy hun, ac ro'n i'n eu clywed yn sibrwd wrth ei gilydd,

'We've got a right one here, girls!'

O'r eiliad cynta mi sylwon ni fod Gwern yr un sbit â Mam, ac medde Gwyn mewn syndod,

'Ew, mae dy fam yn d'ôl, Siani!'

Ro'n i wedi gorfod rhoi'r gorau i *Pengelli* oherwydd fy meichiogrwydd (roedd Llinos y gwisgoedd a'r hogia camera wedi cael cryn drafferth i guddio'r bwmp yn ystod yr wythnosau ola!). Ond cyn bo hir, a Gwern oddeutu chwe mis oed, daeth galwad gan Ffilmiau'r Nant – unwaith yn rhagor – yn cynnig imi'r brif ran yn y ffilm *Tylluan Wen* gan Angharad Jones.

Ro'n i eisoes wedi darllen y nofel flwyddyn ynghynt pan enillodd Angharad Fedal Ryddiaith yr Eisteddfod Genedlaethol efo hi, ac ro'n i'n teimlo'n freintiedig iawn o gael cynnig rhan mor ardderchog.

Unwaith eto fu Gwern ddim yn bell o ngolwg i, ac er mawr embaras iddo heddiw, fo sy'n chwarae rhan y babi bach yn y ffilm hefyd! Mae gen i lun doniol yn fy mhen ohono'n dal ei freichiau i fyny'n awchus i mi ei godi yng nghanol golygfa, ac yna Betsan Llwyd, ei fam yn y ffilm, yn ei godi, a hynny er mawr ddryswch iddo!

Er gwaethaf cynnwys heriol y ffilm bu'r profiad yn un gwych ac yn sicr, wrth edrych 'nôl, yn benllanw artistig fy ngwaith fel actores. Gwyddwn ym mêr fy esgyrn fod fy nyddie fel actores wedi'u rhifo ac na fyddwn yn medru, heb sôn am fod isio, fy nhaflu fy hun i waith theatr a theledu gyda dau o gogie bach i'w magu. Do'n i ddim isio colli allan ar unrhyw ran o'u magwraeth a chan fod y dewis gynnon ni, yn wahanol i lawer iawn o rieni ifanc, penderfynodd Gwyn a finne y bydden ni'n gneud y magu ein hunain. Ar yr adegau hynny pan fyddai cynnig yn rhy ddifyr neu'n rhy atyniadol yn ariannol i'w wrthod, bu'r teulu agos yn amhrisiadwy.

Un digwyddiad bach difyr a ddaeth i'm rhan yn ystod y ffilmio oedd cael 'close shave', fel petai, gyda'r dylluan wen ei hun. Yn un o'r golygfeydd ola mae Martha yn rhedeg o flaen car y cymeriad sy'n cael ei chwarae gan Maldwyn John, ac yn cael ei tharo'n gelain ar y ffordd. Wrth i'r camera banio allan uwchben y gyflafan, y syniad oedd cael tylluan wen yn hedfan ar draws y llun fel petai hi'n tywys enaid Martha ymaith gyda hi.

Fel ro'n i'n gorwedd ar y ffordd â'r eira ffug yn disgyn am fy mhen, ac yn teimlo'n hynod anghyfforddus ar y tarmac tamp, roedd yn rhaid i berchennog y dylluan sefyll efo darn o gig ar ei fraich fel bod yr aderyn yn cael ei ddenu ar draws y llun o un ochor i'r llall. Ar y gair 'Action!', clywes y perchennog yn chwibanu'n ysgafn i drio'i ddenu tuag ato. Yna, a sŵn fflapio adenydd yn fy nghlustiau, clywes *thud* ar fonet y car gerllaw, sŵn llithro ysgafn ac yna'r teimlad o grafangau'r aderyn yn setlo'n dyner ar fy moch. Cipiodd pawb eu hanadl.

'Don't . . . move . . . an inch!' meddai'r perchennog, yn ceisio cuddio'r panig yn ei lais. Am ryw reswm ro'n i'n teimlo'n hynod o heddychlon yn gorwedd yno a'r dylluan fach yn eistedd ar fy mhen, er gwaetha'r ffaith y byddai wedi medru rhoi pigiad reit hegar i mi yn fy wyneb – neu hyd yn oed fy llygaid – petai hi isio. Ond symudes i 'run fodfedd ac ynganes i 'run gair! Cerddodd y perchennog tuag ata i gan siarad yn dawel wrth iddo agosáu, ac yna codi'r dylluan yn ofalus oddi arna i. Dechreuodd pawb anadlu unwaith eto a daeth 'Ffiw!' torfol oddi wrth bawb o'n cwmpas!

Mae'r olygfa'n edrych yn fwy effeithiol oherwydd yr hyn ddigwyddodd – er, mi fasa 'close-up' da o'r dylluan ar fy wyneb wedi bod yn fwy anhygoel fyth! Ond er i mi ddeud nad o'n i'n gwrthwynebu iddyn nhw drio ffilmio hynny, mi fasa'r bobl oedd yng ngofal yr yswiriant wedi cael ffit binc, mae'n siŵr!

Mae'r ffilm a'r nofel bellach yn rhan o gwrs Cymraeg disgyblion TGAU, a phobol ifanc dirifedi wedi cysylltu dros y blynyddoedd i ofyn cwestiynau ynglŷn â rhan Martha yn y ffilm.

Ces brofiad bach doniol un tro wrth gerdded i lawr Stryd y Frenhines yng Nghaerdydd, a chlywed lleisie criw o fechgyn ifanc yn eu harddegau'n canu 'Broga Bach' y tu ôl i mi, a hynny mewn lleisiau ffug-soprano! Roedd y gân werin honno'n un o'r caneuon ro'n i'n eu canu yn un o olygfeydd y ffilm. Ro'n i wrth fy modd!

Bu raid i Mabon a Gwern hefyd astudio'r ffilm a bu tipyn o dynnu coes gan eu cyfoedion, fel y medrwch ddychmygu, yn enwedig am yr olygfa honno lle mae Martha'n hudo'i hen brifathro gyda chlamp o snog!

'Mae mêm ti'n *scary*!' oedd sylw un o ffrindie Mabon!

Birdman

Tua diwedd y mileniwm ces fflyd o gynigion bach diddorol a lanwodd fy mywyd â phobol wahanol a mwy o wersi!

Aeth y teulu i lawr *en masse* i aros dros dro yng nghartref tad Gwyn a'i wraig Ann ym Mhenarth yn ystod cyfnod ffilmio cyfres ddrama newydd o'r enw *Iechyd Da* gyda Chwmni Bracan. Fy hen ffrind Branwen Cennard (sydd bellach yng ngofal y gyfres boblogaidd *Teulu*) oedd y cynhyrchydd, a chyda Meic Povey yn sgriptio a Rhys Richards yn cymryd y brif ran, roeddwn eto ymysg hen ffrindie.

Un braidd yn 'unhinged' oedd fy nghymeriad yn *Iechyd Da* hefyd! Iesgob, oes 'na batrwm, dwch?! Oes 'na rywbeth mae fy nghyfoedion a'm ffrindie yn ei weld yna i sy'n gneud iddyn nhw feddwl amdana i wrth gastio rhannau i ferched efo problemau meddyliol?

Mmm – diddorol!

Yng nghanol hyn i gyd, ces fy nghomisiynu i gyfansoddi'r gerddoriaeth ar gyfer cyfres natur i BBC2. Cyfres yn dilyn hynt a helynt Iolo Williams, aelod o'r RSPB, oedd *Birdman*. Roedd Iolo yn yr ysgol yn Llanfyllin pan o'n i yn Ysgol Llanfair, a'r rhan fwya ohonon ni ferched Llanfair o'r farn ei fod o'n ufflon o bishyn!

Meic Birtwistle a Graham Johnston oedd yng ngofal y ffilmio, ac ar ôl ambell gyfarfod 'laid-back' iawn, mi es ati i gyfansoddi a recordio'r miwsig. Gŵr o'r enw Ronnie Stone a gynhyrchodd y gerddoriaeth yn ôl fy nymuniad gan fy mod eisoes wedi gweithio gydag o ar brosiect Rhys Mwyn, *Hen Wlad fy Mamau*, ac ar f'albym mwya cyfoes, *Di-gwsg*.

Ro'n i wrth fy modd gyda gweledigaeth ffresh Ronnie, a theimlwn y bydde fo'n medru gwireddu rhai o'r syniadau oedd gen i yn fy mhen yn well na neb ro'n i'n ei nabod ar y pryd. Mi ges i amser i'w gofio yn teithio 'nôl a mlaen i stiwdio Ronnie ac i Parr Street Studios yn Lerpwl, yn gweld eginyn fy nghyfansoddiadau a nhrefniannau'n dod yn fyw gyda ffrindie a cherddorion megis Tich Gwilym, Paula Gardiner a Stephen Rees.

Ar ôl i'r prosiect gael ei gwblhau mi ges i sgwrs gyda Lowri Gwilym, oedd yn uwch-gynhyrchydd gyda'r BBC yng Nghaerdydd ar y pryd, ac addawodd hi holi yn nhyrau ifori BBC Worldwide sut basen nhw'n teimlo am neud CD o'r gerddoriaeth. Dangoswyd diddordeb, diolch i berswâd celfydd Lowri, ac i fyny â fi i gael y cynta o lawer o gyfarfodydd.

Sue Bogomas oedd y person gynta i mi ei gweld – gwraig yn ei thridegau hwyr a wisgai siwt oedd braidd yn rhy dynn i'w chorff crwn, a job go galed oedd cael gwên allan ohoni. Ei gofid mwya oedd cael gormod o Gymraeg ar y CD.

'Make sure the majority of the songs are in English, and we don't want stings on the CD – no pieces under a minute long.' Cytunes â phob dim er mod i'n gwybod yn iawn y byddai hanner y cynnwys yn Gymraeg!

Sgwrs wedyn efo gŵr o'r enw Mike Cobb, oedd yng ngofal y cyhoeddi. 'Smooth talker' go iawn oedd Mike, â gwên barod. Serch hynny roedd 'na rywbeth amheus yn ei gylch na fedrwn roi fy mys arno, ond gwthies y teimlad i gefn fy meddwl.

Ymhen dim, i lawr â fi i Lundain eto i gael sesiwn tynnu llun ar gyfer y clawr. Tynnwyd y lluniau yng nghartref y ffotograffydd rywle yn y ddinas, a'r tŷ hwnnw dan ei sang o bobol a edrychai'n arbennig o brysur – er, fedrwn i'n fy myw weithio allan be yn union oedden nhw'n ei neud!

Aeth y ferch ati i lunio'r colur a datgan ei bod hi am roi *bleach* ar fy aeliau er mwyn ceisio cael 'that ethereal look'. Edryches arni'n hurt, ond gan mod i'n teimlo fel petawn i ar ryw antur fawr penderfynes beidio â dadlau â hi. Roedd y ffotograffydd yn dipyn o ddrama cwîn, ac ar ôl dod i ddiwedd pob rholyn ffilm byddai'n taflu'i ben yn ôl mewn llesmair! Hwyrach mai'r aeliau wedi'u gwynnu oedd yn ei gynhyrfu fo, pwy a ŵyr! Byddai'r hogyn ifanc oedd yn cynorthwyo wedyn yn neidio i mewn i newid y rholyn, cyn i'r ffotograffydd fwrw mlaen â'i gelfyddyd.

Y noson honno es i barti a drefnwyd gan BBC Worldwide i ddathlu rhyw achlysur neu'i gilydd, a darganfod fy hun yng nghanol byddigions y byd teledu yn edrych fatha rhywbeth allan o'r Munsters, gyda ngholur llygaid trwm a f'aeliau gwyn!

Rhagor o alwadau ffôn gan Mike Cobb a hwnnw'n awgrymu'n eiddgar fy mod yn dod i lawr i Lundain eto, gyda Gwyn y tro yma, i drafod syniadau pellach gyda rhagor o *execs* o Worldwide. Mae'n debyg bod gan y cwmni ddiddordeb mewn cynnig dîl i mi am ddau albym ychwanegol, ac wrth gerdded i mewn i'r ystafell gyfarfod yn adeilad rhwysgfawr Broadcasting House, roedden ni'n dau wedi cynhyrfu'n lân. I mewn â ni â gwên lydan ac eistedd o flaen pwysigion BBC Worldwide. Medde un ohonyn nhw,

'We feel very excited about this – as you know, this is how Enya's career began. We'll be looking to get a slot for you on *Jools Holland*, and maybe a substantial launch gig, just to start things off.'

'Wow, that sounds wonderful,' medde fi'n awyddus i gyd. Gofynnodd un arall a oeddwn i'n dal i actio. Oeddwn, wrth gwrs.

'Well, can I suggest that you should think about refusing any more acting work for the time being as your schedule will be very busy, and we'll need you to be available for anything we offer you.'

Cytunes – os oedden nhw'n credu bod hynny'n angenrheidiol. Wedyn gofynnwyd a oedd gynnon ni gwestiwn. Wel, mi sonies fod gynnon ni ddau blentyn bach, ac ro'n i am neud yn siŵr na fydden ni'n teithio'n dragwyddol.

'Don't worry, the gigs will be organised, high profile, choice gigs.'

'Well, it all sounds very exciting.'

Cododd y siwtiau, ysgwyd llaw ac allan â nhw. Trodd Mike Cobb aton ni a datgan,

'Great! Wonderful! All we have to do now is work out the proposal, and if you agree on the terms we can get things moving as soon as possible.' Addawodd gysylltu â ni'n fuan.

Aeth Gwyn a finne allan o'r adeilad, pasio Peter Stringfellow yn y coridor(!), a mynd ar ein pennau i far i ddathlu'r dîl arfaethedig.

Ond er ein bod ni'n dau wedi cynhyrfu, roedd 'na fymryn o amheuaeth yn dal i gnoi. Dwi'n cofio teimlo braidd yn chwithig gan mai prin y medrwn i amgyffred yr hyn oedd ar fin digwydd. Adre â ni at y cogie a disgwyl am y 'proposal'.

Aros, ac aros, ac aros.

Ar ôl pythefnos, dyma ffonio Mike Cobb i weld a oedd pob dim yn iawn. Hwnnw'n deud fod popeth 'in hand' ac y byddai mewn cysylltiad cyn bo hir. Aros am bythefnos arall a chlywed dim. Ddechreuon ni ofidio rŵan a ffonio eto. Yn sydyn iawn roedd Mike yn 'elusive' iawn ac er gwaetha addewidion ei ysgrifenyddes y byddai'n ffonio'n ôl, chlywon ni 'run gair.

Gan nad oedd Gwyn na finne wedi cael profiad fel hyn o'r blaen, feddylion ni efallai mai fel hyn roedd pethe i fod. Ond ar ôl i chwech wythnos fynd heibio ers y cyfarfodydd, ffoniodd Gwyn a gadael neges flin gyda'r ysgrifenyddes yn mynnu bod Mike yn galw 'nôl ac esbonio be ddiawl oedd yn mynd mlaen. O'r diwedd, ffoniodd 'y cobyn uffer', fel roedden ni wedi dechre'i alw fo, a thôn ymddiheurol yn ei lais.

'I'm really sorry to have to tell you, but it seems they've changed their minds.'

'*Changed their minds*?' meddai Gwyn yn flin. Syrthiodd fy wyneb wrth wrando ar ei eiriau.

'There's been a big re-shuffle in our staff at Worldwide . . .'

Roedd rhai o'r dynion roedden ni wedi eu cyfarfod wedi gadael a doedd y criw newydd ddim am ddatblygu'r prosiect.

Fedren ni ddim coelio'r peth. 'Humped and dumped' go iawn!

Erbyn hyn mi fedra i gymryd agwedd mwy ffwrdd-â-hi wrth ystyried yr hyn ddigwyddodd yn yr wythnosau hynny ar ddiwedd y ganrif ddwytha. 'Que sera, sera' a ballu. Mae'n siŵr y basa'n cyfrif banc ni'n iachach petai pethe wedi gweithio allan, ond efallai hefyd y byddai'n sefyllfa deuluol wedi cael ei rhoi dan straen oherwydd y teithio anorfod, y sylw y byddwn wedi gorfod ei roi i ngyrfa, a'r jyglo felltith fase Gwyn a finne wedi gorfod ei neud i fanteisio ar y cyfleon i'r eitha.

Pwy a ŵyr? Faswn i'n sicr ddim wedi medru rhoi cymaint o sylw i'r cogie, ac wedi'r cyfan, y nhw sy'n bwysig, nid canu ar raglen Jools Holland uffer!

Faswn i'n newid dim byd!

Gwibdaith America

Daeth y mileniwm i ben gyda thrip i'r Unol Daleithiau. Deuthum ar draws asiant Americanaidd o'r enw Nancy Carlin a fu'n asiant ers sawl blwyddyn i Robin Huw Bowen. Trwy garedigrwydd Robin yn fy llywio tuag ati, trefnodd Nancy daith gwmpasog o'r States i ni. Y bwriad oedd mynd â'r cogie efo ni ynghyd â'r delyn (roedd yr Angelica annwyl yn dal gen i ar ôl yr holl flynyddoedd), a theithio ar hyd a lled y wlad am fis cyfan yn diddanu cynulleidfaoedd brwdfrydig.

Bu'r broses o gael fisa'n arteithiol! Rhaid oedd profi fy mod yn cyflawni rhywbeth unigryw nad oedd yn amddifadu unrhyw Americanwr o waith. Y gorchymyn oedd cael gafael ar ddeg llythyr oddi wrth wahanol gyrff ac unigolion yng Nghymru oedd yn fodlon cadarnhau mod i'n canu caneuon traddodiadol yn y Gymraeg, a bod yr hyn fyddwn i'n ei berfformio draw yno'n unigryw Gymreig. Yna byddai'n rhaid i Nancy drefnu'r un math o beth draw yn America, ac ar ôl gwario dros $300 yn cyflawni hyn roedd yn rhaid i mi fynd i lawr i'r Embassy yn Llundain erbyn wyth o'r gloch y bore, a thalu £70 yn ychwanegol i gael y fisa! Sôn am rigmarôl. Dydi'r Americanwyr yn sicr ddim yn licio gneud pethe'n hawdd i ymwelwyr.

Man cychwyn y daith oedd glanio yn Chicago, llogi car a gyrru i fyny i Milwaukee lle roedd y Celtic Women's Conference yn cael ei chynnal. Gollson ni'r ffordd yn ein

Chrysler, a rhywle yn nyfnderoedd strydoedd Milwaukee, i mewn â fi i garej i holi'r ffordd. Pan ddangoses y cyfeiriad i'r boi yn y garej, sbiodd yn hurt arna i a chodi'i sgwyddau'n ddi-hid. Es 'nôl allan a cherdded at glamp o gar Americanaidd oedd yn cael ei lenwi â phetrol, a gofyn am gyfarwyddiadau. Gŵr a gwraig ifanc croenddu oedd yn y car ac er gwaetha'r olwg amheus ar ei wyneb o, medde'r ferch yn glên,

'Just follow us, we'll take you there.'

'Nôl â mi i'r car gan deimlo'n ffodus iawn o fod wedi taro ar bobol mor hynod o glên, a dechrau dilyn y car. Roedd y cogie'n rhochian cysgu yn y seti cefn moethus ac ar ôl taith hirfaith dros yr Iwerydd, roedden ninne hefyd yn barod am ein gwlâu. Yn sydyn, tynnodd y car i'r ochor a phwyntio tuag at y gwesty lle roedden ni'n aros. Daeth y dyn allan o'r car ac meddai'n ddifrifol yn ei iaith stryd,

'Just a word of advice! I wouldn't ask anyone for directions round here. My girl an' me, we're good people . . . ya know what I'm saying, man . . . but there are people around here who aren't so nice! It's a dangerous place, man . . .' Ac i ffwrdd â fo!

Sbiodd Gwyn a finne ar ein gilydd, yn teimlo'n real idiots o Gwm-sgwt y Blew!

Er gwaetha'r cyngor doeth aeth Gwyn allan ar ei ben i ryw far y noson honno. Roedd y cyffro o fod yn America am y tro cynta'n golygu bod yn rhaid iddo gael mynd i 'ddeud helô' wrth y trigolion lleol! Yno, yn ei ffordd ddihafal ei hun, esboniodd i bawb ei fod o'n Gymro ac yn siarad un o ieithoedd hynaf Ewrop. Yna ymlaen hefo'i ffrindie newydd i le o'r enw The Conway Inn, a gorffen y noson yn chwarae dryms hefo band blŵs oedd yn digwydd chwarae yno a chael gwydriad o Jack Daniel's gan y tafarnwr am ei berfformiad! Wrth gymysgedd o hogia gwyn a du, adroddodd yr hanes am Julius Caesar yn derbyn adroddiad gan un o'i 'jenerals' am ymddygiad y llwythau yng Nghymru pan oedd Rhufain yn ceisio gorchfygu'r ynysoedd hyn.

'Pan ddaw dieithryn i'w plith, cynigir bwyd a diod a chroeso gwresog iddo a'i drin fel brawd i bob pwrpas gydol y nos. Ni ofynnant iddo tan y bore wedyn ai ffrind ynteu gelyn ydi o.'

Mae'n debyg fod un o'r hogia croenddu (oedd yn digwydd bod yn fardd) wrth ei fodd gymaint efo'r stori nes iddo neidio o'i sêt mewn gorfoledd a rhuthro am Gwyn, rhoi clamp o goflaid iddo, a tharo'r Jack Daniel's o'i law yn emosiwn yr eiliad!

Cynhadledd ryfedd oedd y Celtic Women's Conference gyda llond y lle o wragedd canol oed a hŷn – Celtoffeils go iawn yn mwynhau sgwrsio a gwrando ar ddarlithoedd di-ri am yr Alban, Iwerddon, Cymru a Chernyw ac yn y blaen. Mi wnes i gyfarfod un wraig a gyfaddefodd wrtha i nad oedd ganddi dropyn o waed Celtaidd yn ei gwythiennau ond ei bod wedi syrthio mewn cariad â'r holl ddiwylliant yn ei thridegau ar ôl iddi ymadael â'i gŵr trafferthus! Roedd hi hyd yn oed wedi newid ei henw o Allison i rywbeth oedd yn swnio fel enw Cymreig ond a oedd, a deud y gwir, yn enw gwneud – Gwenhwylot neu rywbeth cyffelyb!

Ganes i ganeuon traddodiadol dirifedi gyda'r delyn, darlithio am Gymru gyfoes a chwarae caneuon o'r sîn roc Gymraeg yn hytrach na chaneuon gwerin yn ystod y ddarlith. Codwyd ambell ael wrth i gerddoriaeth y Tystion atseinio o gwmpas y neuadd!

Pasiodd y penwythnos yn Milwaukee heb i neb gael ei

fygio, diolch am hynny. Ymlwybro wedyn i gyfeiriad Chicago i ardal o'r enw Oak Park a chanu yno mewn eglwys grand iawn i gynulleidfa o dras Cymreig.

Gyfarfuon ni yno â gwraig o'r enw Nancy a'i gŵr Clarence a fynnai fy mod yn cael gair yn Gymraeg efo'i thad oedd yn wreiddiol o Lanrwst.

'Hyfryd iawn eich cyfarfod chi,' medde fi wrth yr hen ŵr tal a safai o mlaen i a stetson smart ar ei ben. Edrychodd yn hynod o annifyr, ac meddai mewn acen Americanaidd gref,

'I ain't spoken Welsh in a long, long time, my dear. I'm afraid I don't remember any of it.'

'Oh, go on Daddy, try and speak some Welsh,' medde'i ferch wrtho. Rhoddodd chwerthiniad anghyfforddus arall a shyfflo'i draed.

'No . . . I'd rather not, honey.'

Aeth y gyngerdd rhagddi'n tsiampion a chafwyd ymateb gwresog iawn i'r hen ganeuon. Wrth imi bacio'r delyn daeth hen ŵr y stetson 'nôl ata i, a gwelwn o'i lygaid llaith ei fod dan deimlad.

'Diolch yn fawr iawn i chi am y canu,' meddai mewn llond ceg o Gymraeg gloyw yn nhafodiaith braf Llanrwst, ac ychwanegu trwy ei ddagrau,

'Dwi'n cofio Mam yn canu ambell un o'r caneuon yna, wyddoch chi. "Ar Lan y Môr" a'r "Eneth Gadd ei Gwrthod". Ew, diolch yn fawr iawn i chi.' Ar hynny, rhoddodd glamp o gwtsh i mi ac yna cerdded i ffwrdd, ac emosiwn y foment yn amlwg wedi'i lethu.

Ar ôl diwrnod o 'sight-seeing' ym mhrysurdeb Chicago ac ymweld â Sears Tower ac Amgueddfa Field â'i harddangosfeydd am hanes yr Indiaid brodorol a'r casgliad ysgytwol o ddeinosoriaid, ddalion ni awyren i lawr i

Houston, Texas. Ar ôl cyngherddau yn Houston a Dallas, roedd gynnon ni ddau ddiwrnod i hamddena, felly fe ymlwybron ni i lawr at Gwlff Mecsico ac aros yn Galveston, tref fach hynafol – *y lle* i fynd iddo ar eich gwylie cyn troad yr ugeinfed ganrif, ond a oedd wedi colli ei llewyrch ar ôl i *hurricane* enfawr ei dinistrio a lladd miloedd o bobol ym Medi 1900. Do'n i ddim yn gwybod am hyn pan fwcies y gwesty, gyda llaw, ac mi fues i'n sbio'n o sgeler ar y gorwel trwy ffenest llofft y gwesty, coeliwch chi fi!

I San Francisco wedyn a chanu mewn feniw gwerin enwog o'r enw Freight and Salvage yn Berkeley, yr ochor draw i bont y Golden Gate. Cofiaf i ni gael pryd o fwyd bendigedig mewn bwyty ar lan y dŵr, a'r bont yn sgleinio yn y pellter a'r haul yn machlud tu cefn iddi. Tynnodd Mabon lun o'r olygfa fendigedig a'i anfon at ei ffrindie yn Ysgol Llanerfyl!

Fuon ni'n teithio wedyn ar hyd yr arfordir i fyny am Santa Cruz lle bues i'n sgwrsio ar raglen radio, cyn hedfan i Denver, Colorado, lle cawson ni lifft gan wraig o'r enw Marty Ronish a'n gyrrodd yr holl ffordd i Canyon City trwy olygfeydd syfrdanol mynyddoedd y Rockies. Cyflwynydd radio oedd Marty ac roeddwn wedi'i chyfarfod rai blynyddoedd ynghynt ar wibdaith arall i'r Unol Daleithiau gyda Chôr Meibion y Penrhyn. Roedd ei brwdfrydedd dros gerddoriaeth Gymreig yn ysbrydoledig, a byddai'n chwarae fy CDs yn gyson ar ei rhaglen radio i lawr yn New Mexico.

Ymlaen wedyn i Albuquerque a chael cyngerdd hyfryd mewn eglwys yno o flaen cynulleidfa arbennig o wresog oedd eisoes yn gwybod amdana i, diolch i raglenni Marty! Hon oedd cyngerdd ola'r daith ond fe benderfynon ni fanteisio ar y ffaith ein bod yn y rhan honno o'r wlad, a dal trên o Albuquerque i Los Angeles i dreulio wythnos ola'r antur yng nghwmni fy modryb Eirlys, un o chwiorydd ieuengaf fy nhad. Roedd Eirlys wedi madael â Chymru 'nôl yn y chwedegau a syrthio mewn cariad ag Americanwr diddorol iawn o'r enw John Kunny – gŵr y taerai fy nhad oedd yn gweithio i'r CIA! Bu Eirlys yn gweithio am flynyddoedd i gwmnïau recordiau yn Los Angeles, ac roedd ei straeon difyr am rai o sêr y byd roc megis Mick Jagger a Tom Jones wrth iddyn nhw ymweld â swyddfeydd y cwmnïau wedi fy rhyfeddu dros y blynyddoedd.

Taith ddeuddeg awr oedd hon i fod, ond er mawr siom i bawb ar y trên fe dorrodd y bali peth i lawr yn nhre Falstaff, a hynny yng nghanol yr eira. O'r diwedd, ar ôl oriau hirfaith o aros, cychwynnodd y trên ar ei daith unwaith eto. Anghofia i fyth mo'r golygfeydd syfrdanol wrth i'r haul fachlud dros anialwch y Mojave, a theimlem fel cymeriadau mewn ffilm Western wrth wylio'r creigiau cochion a'r cacti nodweddiadol yn gwibio heibio. O'r diwedd, ar ôl chwe awr ar hugain ar y trên, fe gyrhaeddon ni Fullerton a threulio cyfnod ymlaciedig iawn ar draethau gwynion Laguna Beach.

Hyd heddiw, fedra i ddim coelio ein bod ni wedi ymgymryd â'r fath her gyda thelyn fawr a dau gòg bech pedair a chwech oed, ond weithiau mae'n bwysig taflu gofidiau i'r gwynt a gafael ym mwng ceffyl gwyllt ffawd a dal yn gythgiam o dynn wrth iddo fynd â chi ar lwybr ansicr bywyd. Wrth boeni gormod am y 'Be 'tai . . .?', mae'n hawdd iawn colli allan ar y trysorau amhrisiadwy y gall bywyd eu cynnig.

Llywelyn ein cyw olaf

Daeth trysor bach arall i lenwi'n bywydau yn 2001: morfil o gòg deg pwys a phedair owns ar ddeg a gyrhaeddodd dan amgylchiadau brawychus ar y naw.

Roedd Llywelyn yn hwyr yn cyrraedd fel y ddau larp arall, ond erbyn hyn roedd y bydwragedd yn cadw golwg barcud ar yr hwyrddyfodiaid. Ar ôl i mi fynd ddeg diwrnod dros fy amser mynnodd yr adran famolaeth yn y Trallwm fy mod yn mynd am *check-up* i neud yn siŵr nad oedd Llelo bach dan unrhyw fygythiad. Gyda llaw, Llelo fyddwn ni'n galw Llywelyn yn ein tŷ ni, a hynny oherwydd i mi ddarllen yn rhywle mai dyna fyddai mam y Tywysog Llywelyn yn galw'i mab pan oedd o'n fychan! Os oedd o'n ddigon da iddi hi, mae o'n ddigon da i mi!

Ta waeth, tra o'n i'n cael fy monitro, torrodd fy nŵr. Ro'n i wrth fy modd ac yn wên o glust i glust gan mod i'n gobeithio y byddwn o'r diwedd yn gallu rhoi genedigaeth i *un* epil, o leia, yng Nghymru! Yn sydyn, gwelwn fod golwg bryderus iawn ar wyneb y fydwraig, ac wrth fy archwilio dechreuodd weiddi ar weddill y staff i roi help llaw. Gwelai'n syth o liw'r dŵr fod problem, a galwyd am ambiwlans i'm trosglwyddo ar frys i Ysbyty Amwythig. Mae'n debyg bod yr *umbilical cord* wedi mynd yn sownd o dan ben Llelo, a chyda phob contractsion roedd llif y gwaed yn cael ei gywasgu a Llywelyn yn dioddef o ddiffyg ocsigen.

A'r golau glas yn fflachio, fy nhin yn sticio i fyny i'r awyr fel mynydd Vesuvius, a llaw'r fydwraig druan i fyny crombil fy mod, fel petai, wrth iddi ymdrechu'n chwyslyd i gadw pen Llywelyn rhag gwthio i lawr ar y cordyn, cyrhaeddwyd yr ysbyty. Rhuthrwyd fi i mewn i theatr, fy annog i arwyddo'r ffurflen ganiatâd, ac fel ro'n i'n rhoi'r beiro yn ôl i'r nyrs, aeth popeth yn ddu wrth i'r anaesthetig gicio i mewn. Yn ôl y staff, mae'n debyg i'r arbenigwr gymryd chwe eiliad i gyflawni'r Caesarian – oedd yn dipyn o record – ac wrth godi Llywelyn o'r gyflafan o'i flaen, pishodd rhen gòg drosto'n ddiseremoni er mawr lawenydd i bawb yn yr ystafell!

Diolch i arbenigedd y staff a meddwl chwim y fydwraig yn y Trallwm, mae diwrnod olaf Awst bellach yn destun diolch a dathlu i ni – ynghyd â pharchedig ofn wrth ystyried pa mor aruthrol o fregus y gall bywyd fod.

Trawodd y sentiment hwnnw fi fel gordd ar ôl dychwelyd adre a gwylio'n anghrediniol y lluniau ar y teledu o ymosodiadau 9/11 yn datblygu o mlaen i, a hynny dim ond un ar ddeg diwrnod ar ôl geni Llywelyn. Trasiedi a chreulondeb dioddefaint dyn ar un llaw, a'r wyrth o gariad a gobaith geni ar y llaw arall.

Sut mae rhywun i fod i gysoni'r fath beth, dwch?

Diweddglo

Ar ôl cryn dipyn o bendroni, penderfynes y byddai genedigaeth Llywelyn yn lle da i orffen y llith yma, er bod cymysgedd o ddigwyddiadau eraill heriol a braf wedi dod i'm rhan yn ystod deng mlynedd cynta'r ganrif hon. Wna i ddim ond cyfeirio'n fyr at y rheiny, felly, cyn tewi!

Cafwyd rhagor o wibdeithiau i America, yn cynnwys trip i ŵyl yn Atlanta yng nghwmni Nia a Llywelyn, yn ogystal â gŵyl enwog y Celtic Colours yn Nova Scotia.

Sefydlodd Gwyn a finne stiwdio recordio yn hen feudái'r Gardden. Recordies ragor o'm trefniannau o ganeuon gwerin ar ddau CD (sef *Pur* ac *Y Ferch o Bedlam*); ces hefyd y profiad newydd o gynhyrchu ambell CD i artistiaid eraill, a rhyddhau celc go lew o gynnyrch cerddorol dan ein label, Bos.

Dechreues ddysgu'r delyn i rai o blant bach y fro a chael fy swyno gan eu brwdfrydedd diniwed. Yna, yn 2003, derbynies yr her o arwain Parti Cut Lloi, profiad a agorodd lifddorau o fwyniant a chwerthin yn fy mywyd, diolch i hiwmor dihafal a drygioni annwyl y bechgyn! Fuon ni'n ddigon ffodus i ennill y wobr gynta yng nghystadleuaeth y Parti Gwerin Agored ym mhrifwyl Meifod yn 2003 – ar ein cynnig cynta!

Yna, i goroni'r degawd – ac er mawr syndod i mi, coeliwch chi fi – ces fy anrhydeddu'n Gymrawd o Brifysgol Bangor.

Ond hefyd, yn ystod y degawd ola yma, ysgydwyd ein sylfeini fel teulu gan farwolaethau disymwth ein hanwyliaid

– ein hannwyl Naini, mam Gwyn; Anti Eirwen, chwaer ieuengaf Dad; Yncl Tom, gŵr Anti Dwynwen; Yncl Wyn, ewyrth Gwyn – y pedwar yn cael eu gorchfygu'n ysgytwol o sydyn gan gancr ac i gyd o fewn blwyddyn neu ddwy i'w gilydd. Colli fy annwyl Yncl Joe; colli John Ellis, Foeldrehaearn, a fu'n gymaint o ddylanwad arnaf dros y blynyddoedd â'i arddull canu unigryw a'i gymeriad hoffus. Colli Tich Gwilym, Angharad Jones a Lowri Gwilym – tri ffrind y byddaf yn fythol ddiolchgar iddynt am eu cyfeillgarwch a'u cefnogaeth.

Ces inne hefyd waeledd yn 2005 pan ddarganfuwyd celloedd cychwynnol cancr yn y groth, ond ar ôl triniaeth lwyddiannus ces wellhad llwyr. Dilynwyd hyn gan drafferth llawer llai difrifol ond hynod boenus gyda'm *gall-bladder*, a leddfwyd yn ddidrafferth gan driniaeth dair blynedd yn ôl.

Felly, bu deng mlynedd cynta'r ganrif newydd hon yn dipyn bach o her, a deud y gwir, ar sawl lefel!

Dwi'n cofio cael sgwrs fach ryfedd efo Mam yn y gegin pan o'n i'n bump oed. Mae'r ennyd wedi'i serio ar fy nghof oherwydd i mi synhwyro pwysigrwydd yr hyn a ddywedodd hi wrtha i.

Pasio trwy'r gegin o'n i ar y ffordd i'r 'back kitchen', a Mam yn eistedd yn ei chadair freichiau wrth y tân, yn ôl ei harfer. Wrth i mi sgipio heibio, medde hi wrtha i,

'Siani . . . ty'd yma.' Sefes o'i blaen yn ufudd a gafaelodd hithau'n dyner yn fy nwylo. Mwythodd fy ngwallt hir melyn am eiliad neu ddwy, ac yna sbio i fyw fy llygaid a deud yn araf ac yn ystyrlon,

'Five years old – just five . . . years . . . old. You've only been on this earth for five years . . .' Edryches yn syn arni a gweld deigryn yn cronni yng nghornel ei llygad. 'You have *so* much living to do, my darling.'

Yn yr eiliadau hynny mi ges i gipolwg ar deimladau cymhleth mam wrth edrych ar ei phlentyn bach diniwed â'i bywyd yn ymestyn yn hir a chyffrous o'i blaen. Oedd, mi oedd 'na rywfaint o gynnwrf disgwylgar yn ei llais, ond yr hyn rydw i'n ei gofio ydi'r gofid yn ei llygaid, rhyw bryder na fedrwn i mo'i esbonio na'i amgyffred.

Heddiw, a'm llwybr wedi fy nhywys trwy brofiadau brith bywyd, gyda'r siwrne weithie'n llyfn, weithie'n arw, weithie'n llawn bendithion, weithie'n anesboniadwy o anodd, mi ydw i'n deall!

Wrth imi agosáu at fy hanner cant, mae'n rhaid cyfaddef na fu fy mywyd yn union fel ro'n i wedi'i ddychmygu y byddai o pan o'n i'n ifanc; ar y llaw arall, dwn i ddim yn union sut ro'n i wedi dychmygu y byddai pethe. Ond mae un peth yn sicr, bu'r ffantasi'n wahanol iawn i'r realiti!

A fyddwn i'n newid unrhyw beth petawn i'n medru troi'r cloc yn ôl? Mae hwnna'n gwestiwn anodd, yn tydi, ac yn un y mae'r rhan fwya ohonon ni'n ei ofyn o bryd i'w gilydd, mi dybiaf. Ond unwaith mae rhywun yn dechrau dewis a dethol y digwyddiadau hynny y basa'n braf eu newid – y penderfyniadau 'anghywir' hynny sy'n bygio rhywun weithie – mae'r holl lun yn newid, ac nid er gwell, o reidrwydd.

Wedyn mi fyddai pobol dyngedfennol yn diflannu o'r llun – cymeriadau a roddodd chwistrelliad go hegar o liw i mywyd i, anwyliaid a lanwai fy mywyd yn ddyddiol â chwerthin a difyrrwch, ac, yn bennaf oll, â chariad. Heb y profiadau anodd mi faswn i wedi f'amddifadu o'r profiadau hynny a'm hymestynnodd ac a'm heriodd – y profiadau sydd bellach wedi fy siapio i fel person.

Felly, i ateb fy nghwestiwn fy hun – na, faswn i'n newid y nesa peth i ddim!

Wrth edrych i lawr o'r Gardden ar Ddyffryn Banw a bro fy mebyd, a hynny yn heulwen cynta'r gwanwyn, gwn fy mod yn lodes lwcus iawn, iawn. Cofiwch chi, ar ddyddie oer a glawog, a'r defaid uffer newydd fyta'r unig flodyn sy gen i yn yr ardd, ella 'sa'r stori yn un dra gwahanol!

Ond fel'na mae bywyd, yntê?